NORLAN LIGHTS

this book is for

Ruby McCann (1963–2022)

NORLAN LICHTS

Poems in Scots from the North-east

Lesley Benzie
Sheena Blackhall
Sheila Templeton

With a Foreword by Ian Spring

First published 2022
by Rymour Books
45 Needless Road,
PERTH
PH20LE

ISBN 978-1-9196286-8-4

http://www.rymour.co.uk

cover and book design by Ian Spring
printed by Imprint Digital, Exeter, Devon

A CIP record for this book
is available from the British Library

This book is set in Bembo, a typeface cut by Francesco Griffo in 1495 for the works of Pietro Bembo, a poet, a Cardinal and lover of Lucrezia Borgia.

supported by a Scots Language Publication Grant
from the Scottish Book Trust

Scottish Government
Riaghaltas na h-Alba

The paper used in this book is approved
by the Forest Stewardship Council

FSC

CONTENTS

Acknowledgements   8
Foreword   9

I

Seelence   Sheila Templeton   14
Dothers Diggin for Gowd   Lesley Benzie   15
Eildritch   Sheena Blackhall   16
Collogue wi Jenny Geddes,
23rd July 1637   Sheila Templeton   17
Sunset Song an the Terminators Lesley Benzie   18
Judgement o the Bandies   Sheena Blackhall   19
Still the Warld Turns   Lesley Benzie   20
Ye Browster Wives   Sheena Blackhall   22
The Clyack Shafe   Sheila Templeton   23
A Doon an Oot   Sheena Blackhall   24
This Morn   Sheila Templeton   25
Variations on the Scottish
Scone Eating Ceremony   Sheena Blackhall   26
Contermashious   Sheila Templeton   27
In the Glen far I wis Young.   Sheena Blackhall   28
My Land   Sheila Templeton   30
The Chaumer   Sheena Blackhall   31
Hairst Meen   Sheila Templeton   35
Pannanich Wells, Ballater   Sheena Blackhall   36
Fessen in the Vernacular   Lesley Benzie   38
The Birdie   Sheena Blackhall   39
Cottar Wife   Sheila Templeton   40
Drumneachie   Sheena Blackhall   41
The Note   Lesley Benzie   42

II

Kissin   Lesley Benzie   44
Efterhin   Sheila Templeton   45
Dream o the Restless Bairnickie Sheena Blackhall   46
Hame fae Skweel   Lesley Benzie   48
Widdendreme o an Ashet   Sheena Blackhall   49

Times Chynge	Sheila Templeton	49
Parkin Lot Nummer 44	Sheena Blackhall	50
Taught oor Lessons	Lesley Benzie	51
Puir Man's Jam	Sheena Blackhall	52
Monthlies	Sheena Blackhall	53
News-Gizzent	Sheila Templeton	54
Junkie's Jewels	Sheena Blackhall	55
The Divide	Lesley Benzie	56
At Fifeteen Wiks	Sheila Templeton	57
Chat Lines on Twitter	Lesley Benzie	58
The Corpse Critiques The Kistin	Sheena Blackhall	59
Nae Answer	Sheila Templeton	61
Aneth the Stairs	Lesley Benzie	62
Northsick	Sheila Templeton	63
Hatches, Matches, Dispatches	Sheena Blackhall	64
The Prodigy	Lesley Benzie	65
Lairnin Aboot Luve	Sheila Templeton	66
Oan Midsummer Eve	Sheila Templeton	67
History Lesson	Lesley Benzie	68
Punk wi a Sma P	Lesley Benzie	70
First Meen o Januar	Sheila Templeton	71

III

The Politics o Sex	Lesley Benzie	74
Lot's Wife	Sheena Blackhall	76
Cop26 on Remembrance Sundi	Lesley Benzie	77
Disjaskit	Sheila Templeton	78
Club Cubana	Lesley Benzie	79
Burnin Bush	Lesley Benzie	81
The Fechtin Dominie	Sheila Templeton	83
Shorin Up The Impossible	Sheila Templeton	84
Tribes	Lesley Benzie	85
Leevin Room	Sheila Templeton	86
Geographic Tongue Nummer 2	Sheena Blackhall	87
Piper George Findlater: Hero o Dargai	Sheila Templeton	89
The Weather Forecast	Sheena Blackhall	91
Grunnie	Sheila Templeton	92
Srebrenica	Lesley Benzie	93
Ripenin	Sheila Templeton	94

Divorced fae Reality	Lesley Benzie	95
Pheelosophic Futterats	Sheena Blackhall	96
Vilomah	Sheila Templeton	97
Shakkin the Snaa Globe in ma Harns	Sheena Blackhall	98

IV

View o Aiberdeen	Sheena Blackhall	102
In the Name o the Virus	Lesley Benzie	103
The Chat Show Host Spikks tae the Proverbial Corbie	Sheena Blackhall	105
Cambodian Instagram Moments	Lesley Benzie	106
The Midden	Sheena Blackhall	107
Tourists at the Alhambra, Granada	Lesley Benzie	108
Exercise from the Oulipo Movement, Using the Lipogram Method	Sheena Blackhall	109
Koh Rong Eco Warriors – 1	Lesley Benzie	110
The Sulphur-crested Cockatoo an You	Lesley Benzie	112
Vi's Libry	Sheila Templeton	113
The Mopeds o Siem Reap	Lesley Benzie	114
Bella Caledonia, 50 Miles Up	Sheena Blackhall	116
Feminine Faces o the Far Right	Lesley Benzie	118
The Time Traiveller's Convention	Sheena Blackhall	120
His First Taste o Snaa	Sheila Templeton	121
Hooses	Sheena Blackhall	122
Fare Thee Weel an Hello Stranger	Lesley Benzie	123
Sir Walter Scott	Sheila Templeton	125
Rwandan Mother	Lesley Benzie	126
Parritch	Sheila Templeton	127
Hunt the Gowk Day, 2021	Sheena Blackhall	128
Sang at Hinnerend	Sheila Templeton	130
Index of Poems		131
Select Glossary		134

ACKNOWLEDGEMENTS

We would like to thank and remember the late Ruby McCann for suggesting this project, Maggie Rabatsji and A C Clarke for support and comradeship, Ian Spring for designing the book and cover and contributing a foreword, and Tom Hubbard and Stuart Paterson for their kind tributes. Also thanks to the Scottish Poetry Library, Red Squirrel Press and Tapslalteerie Press.

The majority of this work is published here for the first time, but some poems have previously appeared in the following books and periodicals. Thanks to all the editors and publishers: *Stagwyse: Selected Poems, Pushing out the Boat, The Life Bluid o Cromar, Gutter, SPL & a Boorich o Fowk: Best Scottish Poems 2019, The Herald, The Gorgonzola Cheese/The Caledonian Antisyzygy, The Thing that Mattered Most: Scottish poems for children, The Poets' Republic, Wittins, Northwords Now, The Telepathic Butcher's Boy: Scottish Corpus of Texts, Lallans 13, Pheelosophic Futterats, Writers Umbrella, The Poetry Hat, Popshots Magazine, Plague Poems online, Poems on the Underground, West Coast Magazine, Cutting Teeth Magazine, Two Weegies, One Quine & an Edinburae Hoor, Sewn Up, Fessen/Reared.*

Aberdeen Art Galleries gave us permission to feature *View of Aberdeen* (1756) by William Mosman on the cover.

Finally, the Scottish Book Trust awarded us a Scots Language Publication Grant without which this book may not have been possible.

Lesley Benzie, Sheila Templeton, Sheena Blackhall, 2022

FOREWORD

The first significant flowering of women poets writing in Scots in the North-east of Scotland came at the beginning of the twentieth century – notably through the work of Violet Jacob, Mary Symon and Marion Angus, all born within a couple of years of each other in the 1860s. They were influenced by a renewed interest in the vernacular articulated, notably, through expatriate Scots and the London Burns Club, who adopted Charles Murray, another expatriate and author of the extremely popular collection of Scots poetry *Hamewith*, as their exemplar. At the same time, Hugh MacDiarmid and others launched what has been called the Scottish literary renaissance, promoting a form of Scots that challenged earlier, possibly sentimental, versions of the vernacular.

A century later, there is, it seems, another renaissance of Scots. However, it comes with a wider diversity of forms of language from a variety of regions of Scotland. It is supported by organisations such as the Scots Language Centre and the Scottish Book Trust and is disseminated as much through social media as the printed word.

Today, the dialects of different corners of the country are valued in their diversity as forms of Scots and there is no significant attempt to homogenise Scots in the manner of MacDiarmid into 'synthetic' (or 'plastic') Scots. The poems in this volume, however, are all written in the Scots, largely, of Aberdeenshire, often known as Doric (originally a more generic and sometimes derogatory name for vernacular Scots) which is a well-established form of Scots that has a long continuity in the printed word.

I think that it is pertinent to consider the three poets in this volume in respect to their earlier counterparts.

There is a continuity in the themes and forms between the two centuries. For example, in the portrayal of the land and the seasons. These lines come from Violet Jacob:

Daytime an' nicht,
Sun, wind an' rain;
The lang, cauld licht
O' the spring month's again.
The yaird's a' weed,
An' the fairm's a' still –
Wha'll sow the seed
I' the field by the lirk o' the hill...

These are by Sheila Templeton:

> …the reeshle o skinklin corn
> athort a lang-rigged park
> hard-nubbit siller-gowd
> an stooks o hey lik roon breists
> – aa the tyauve o a day's lang darg…

Another common theme is the creative use of tradition, folk song and bairn sangs as can be seen in Sheena Blackhall's 'Dream o the Restless Bairnickie':

> I dreamt I jyned the Seelie Coort
> An rade upon a futterat's back
> It could baith flee an sweem the tide
> An breenge ben mony's a happit track
>
> I slept aneth a puddock's steel
> I sprooted wings, sae moosewab licht
> I climmed the steepest watter linn
> Haudin a salmon's tailie, ticht
>
> I steppit inno warlocks' haas
> An watched them steer their potions roon
> I wyved ma eildtrich wan, an syne
> I gart ten siller stars drap doon…

However, there are notable differences between the two centuries too. Sheena Blackhall contemplates William Mosman's eighteenth-century 'View of Aberdeen' as reflected through the contemporary Aberdeen of multi-storey blocks and traffic jams, while Sheila Templeton takes an old theme of the death of a child and frames it within the period of covid 'lockdown':

> Months eftir she wis yirdit, thon snarl
> of a gaitherin, jist close faimly
> aa they were allowed in lockdoon
>
> lang eftir the doul o pickin
> the sma plaque tae be eekit oan,
> matchin the dairk granite leam

o the bigger lair-steen – nae room
there for a grandochter's nem...

The title of this poem is 'Vilomah', a sanskrit word meaning "against a natural order.' Often used to describe the death of a child.' This is typical of the international flavour of these works, ranging from the North-east of Scotland to the far east – featuring, for example, Granada, Croatia, Rwanda and Cambodia.

There is humour in this collection. For example, Sheena Blackhall's 'Variations on the Scottish Scone Eating Ceremony':

Tyrone McGraw, aged three
Stuffs hauf a scone in his mou in a wunner.
Jam squelches doon his chin in jammy runnles
'Pure deid brilliant, maw,' sez young McGraw.

But many serious and tragic issues are also addressed. For example, in the poem 'Srebrenica' by Lesley Benzie which refers to the genocide in Bosnia.

She looks at her people
waitin
in the camp,
that is nae ony safer
than the area they'd jist fled,
an in view o the options
decides tae hing hersel
bi the neck
till she's deid,
raither than let onybody else
decide foo she'll die,

while fae a position
on the sidelines
we record
her final solution.

In this finely crafted short poem, the judicial language of a death sentence leads to the fraughtly logical conclusion in the last two lines of the first section; while the last four lines tersely contrast the questionably disinterested perspective of the putative author with the timeless tragedy expressing in the dual meaning of 'the final solution'.

Some of the finest poetry in Scots of the last century, notably the poems of Mary Symon, was prompted by the radical effect of the First World War which depopulated whole swathes of the North-east. These poems too deal with the effect of war, poverty and other forms of deprivation. They also deal with contemporary life through acute observation of the quotidian and the domestic.

In summary, the collection, as a whole, is a significant tour de force of Scots writing in the twenty-first century and bears comparison with the finest Scots poetry of any era.

The poems in this collection, mostly published here for the first time, are not arranged by author, not in rigid categories, but in four, loosely thematic, sections. It is assumed that the reader will be generally familiar with written Scots and its conventions but a select glossary of some of the less common terms is included.

Ian Spring 2022

I

the pink-gowd o dawin
sklaikit athort the lift…

SEELENCE

Taks its time

needs the quait
o a bairn's han, slippit inta
the calloused roch
o Granda's waarm grip

the pair o us
jinkin roon the back wye
tae keep oot the road o the Saabath fowk
makkin their sonsie steps hame

mangs for the skinklin o blaik an fite wings
abeen the siller o an April sun
as peesie-weeps daunce their spring

listens tae the lang sough an clack
o beddie-steens shiften an shachlin
unner thrang clair watter

disna murn the sair fack o daith
bit mervels at the bleedy orrals
flooerin a tod's den

says tak tent far ye plunt yer feet
aye mind tae waak doon
the side o a park greenin wi early corn

has tae be hard-lairnt, lik aathing else.

Sheila Templeton

DOTHERS DIGGIN FOR GOWD

As the beach-san rains doon fae the arc
o their orange an purple plastic spades
the sun catches the silica, quartz an feldspar
skinklin the licht aroon ma twa dothers
haloed bi its gowden glow.

Bit naething can eclipse those gems
o their blue an green een
trained tae their task
an laughter that wad sair mend
a broken hairt
as they dig a hole in Aiberdeen's beach,
big eneuch for ma eicht month pregnant belly
so ah can lie front doon an read ma book.

An the wee loon tucked inside can commune
wi the earth as he swims in his satty-watter sac
the tiny pads o his hauns an feet
an heid an backside pressin aginst ma insides
leavin their imprints foriver within me.

An fan ah rise tae turn ower, ah spy
his impressions like ancient fossils on the gowden san.

Meanwhile, his twa sesters run aroon
the castles they've built
an back an forth fae the sea
wi watter for their moats.
Then they splash a North Sea shriek oot o me
afore they dunce circles aroon,

an press their wee hauns on my belly bump an bum
while skirlin their song, *big bum, booby
babalaloo!*

Lesley Benzie

EILDRITCH

in a peatbog,
in the neuk o a plaid.
mummlin tae hersel
in the gloamin,
sib tae the deil,

in the hettest o the collieshangie,
the name o God cam niver on her lips.
in muckle hell that day.

in the bield o the black hill,
seiven corbie craws flew roond and roond
abuin the auld kirkyaird.
near the burn deep and black

She's a bogle in claycauld flesh.
No a starn, no a breith o wind
A tyke yowlin up the muir,
A laich, uncanny steer
An the dule watter seepin and sabbin
Doun the glen

The sauchs tosst and maned thegither,
a clap o wind, like a cat's fuff;
the sauchs screicht like fowk
skelloch upon skelloch

in a peatbog,
in the neuk o a plaid.
mummlin tae hersel
in the gloamin,
sib tae the deil

Erasure/ black out poetry is a form created by erasing words
from an existing text in prose or verse. The following poem,
Eildritch, is drawn out of the short story *Thrawn Janet*, by
Robert Louis Stevenson.

Sheena Blackhall

COLLOGUE WI JENNY GEDDES, 23RD JULY 1637

Aye. There are fuspers yet in lugs gleg tae listen,
mous spikkin lees aboot siller jinglin in ma pooch
the day. That I wis peyd tae fung ma fald stool
straicht at his bigsie heid, peyd tae roar at him.

Ye maun hae turnt clean gyte gin ye believe sic havers –
it wis ma pleesure tae set Jamie Hannah straicht.

Deil gie ye colic in the wame o ye, fause thief –
daur ye say mass in ma lug?

I meent ilka wird.

We'll hae nae *Anglican Booke o Common Prayer* here.
Dae ye think we're sic gapus feels? Saxty years an mair
gin we shachled aff Rome's stite, its guffy incense,
a Latin Mass that gweed fowk canna unnerstan,
hooerin priests – that hale clortit midden.

Sae dinna, nae eyven fir ae hert-beat, jalouse
– that I *iver* socht siller.

Sheila Templeton

SUNSET SONG AN THE TERMINATORS

In the lowerin vapour o that January mornin
the agricultural sprayer's, vast fluorescents
are like eerie searchlights, castin aboot
for ony humans, superfluous tae requirements,
in its' shadowy terrain.

It's a far cry fae *Sunset Song*
fan the rhythm o life kept time wi the seasons.
The body uncurlin fae the deid o winter
as the blewarts chimed the return o spring
then jist as seen, losin their flooers
tae the wide blue licht o summer.

Chris could tell the advancin weather
bi the cumulus forms and colours o the sky,
kent bi the feel o the soil underfit
fan it was time for plantin
and fan the hairst drew near
bi the sheaves grown high.

Kent oor fortunes were inextricably linked,
tae that o the land…

An naething has really changed at aa,
except we've become uncoupled
fae the netter o oor netter an
bound tae the assumption, it'll keep on
yieldin tae the advance
o the machines.

Lesley Benzie

JUDGEMENT O THE BANDIES

The day wis sticky wi sun
Paiddlin in shalla puils
Cweets wore bangles o watter

Boaties o waves cairriet cargoes o gowd
Ferryin glents an glimmers
Doon the simmer river

The foreneen hottered wi heat
Aiks stude swytin in sarks o wrinkled barks

A troot kerplunkit up
Like a weety comma stottin aff a trampoline

Skirt stappit in knicker elastic
I wis a heron, the jar in ma haun, its bill
Drapt like a lichtenin stob
Tae the fleggit shoals o bandies

I rypin the fishies' nursery o a littlin
Pebbles malagaroozed the soles o ma feet
Ma hairt explodit in triumph
Ower the teenie captive catched in the cloudy jar

Blytheness soored neist mornin
Fin, like a bonnie flooer crined
Wi ae night's frost
Ma bonnie bandie floatit, stiff an deid.

It wis a cowpit coracle
Teemed o the swackness o life

Sheena Blackhall

STILL THE WARLD TURNS

He danders
fae the azure blue sea
tae his place on the beach.

He smooths his blond,
designer hair style back
tae mak sure it's as sharp
weet, as it is dry.

He tucks the edges
o his fluorescent green shorts
up intae the inner nettin
tae keep his manhood dressed
on the richt side
o propriety

while revealin an extra lingth
o thigh.

He finds the richt angle
for the sun tae shine on him
sae he can drip himsel dry
turnin aroon
an aroon
an aroon
like meat on a spit

while he examines ivry inch
tae ensure he is broonin
tae perfection.

He strokes his abdomen
far the flesh joins the bones
o the hips
lingerin at the hollows
shaped like an inverted
cello's F-holes

as he slips his
fingertips jist inside
his waistband

                              while his wife sits in the shade
                              tendin tae their wee dother.

Fan he's finally ready tae bask
he muscles in
an athoot him askin,
she applies sun lotion
tae his back.

He checks his ain reflection
in his mirrored sunglesses
afore placin them on his upturnt nose
then stretches oot
on the towel draped across his lounger

pittin his hauns ahin his heid
sae as much o him is exposed
tae the warld that he fancies
revolves aroon him.

Lesley Benzie

YE BROWSTER WIVES

Ye browster wives, now busk ye braw,
And fling your sorrows far awa;
Then come and gie's the tither blaw
Of reaming ale,
Mair precious than the well of Spa,
Our hearts to heal.:

Golden shovel poetry is a poetic form that takes a word from
each line of an existing poem and uses them as the last word of
each line in a new poem. The golden shovel form incorporates
elements of both erasure and cento poems. From *The Daft
Days*, by Robert Fergusson

Sheena Blackhall

THE CLYACK SHAFE

Hame for his eeswal sax month leave
hine awa fae the bonnie hoose
reamin wi space, servans takkin tent,
sun-downers oan bougainvillea verandahs
– aathing he'd biggit up for himsel
waarlds awa fae far he'd stertit

– a visitin freen chanced tae say
Govalhill's in sair need o a han wi his hairst.
Nae young, nae swack, but
Aye. I'll be there the morn.

He'd nae idea his need wis sae fierce
his bleed dingin tae feel

the reeshle o skinklin corn
athort a lang-rigged park
hard-nubbit siller-gowd
an stooks o hey lik roon breists
– aa the tyauve o a day's lang darg
stiff shooders, oxters wringin weet

winnin tae the hinnerend, a hairst
weel-gaithert, the clyack-shafe;
seer again in his saal, his ain grun.

Sheila Templeton

A DOON AN OOT

A doon an oot. A wino.
Her face wis minkit.
Lord, she stank tae High Heaven
Tarts nails, beetroot reid
Braith, sickly sweet
Whit scaffie's bin
Forgot tae pit the tin
Lid on her?
I tell ye – I hid tae move ma seat.

The state o' yon,
Sittin, in an art gallery
Some fowk's nae sense o' decency

She's nae alane.
Van Gogh gaed doon the drain
Aabody liked him.. posthumously
Fame's a funny thing.
Me? Fit wis I there fur?
Tae see the picturs, naturally.

Hogarth wisna on view. A peety.
His 'Gin Lane' is maist affectin
An yon chiel Degas, hard tae beat,
Peintit an absinthe drinker
Sae real, ye'd nearly greet.
Whit happened tae the wino?
Yer nae in ony doot!
Realism's best ahin a glaiss,
Nae face tae face
They pit her oot.

Sheena Blackhall

THIS MORN

the pink-gowd o dawin
sklaikit athort the lift
starnies awa, meen gizzent;
aathing spleet-new.

The warld tremmles
riddy tae tak a breath
tae be fitiver we mak it.

Dinna be sweir, dinna be feart
– tae mak luve yer chyce the day.

There's naething else for it.

Luve eenanither, luve eenanither.

Sheila Templeton

VARIATIONS ON THE SCOTTISH SCONE EATING CEREMONY

Tyrone McGraw, aged three
Stuffs hauf a scone in his mou in a wunner.
Jam squelches doon his chin in jammy runnles
'Pure deid brilliant, maw,' sez young McGraw

Miss Clarissa McBride beheids her scone,
Perjink like, wi a knife
Her crannie cocked, in the genteel Embro mainner
The scone lies quartered like Wallace
The clarty strawberries, the hero's reid intimmers
Oozin ower the fleshy dough, like bluid

Rab Duthie, tattooed welder,
Opens his piece-box wi a sigh.
'Nae scones again,' he murns
'I'm nae some coffin-dodger.'

Kirsty McFaddyn an her professional peers
Sook their proseccos, turn the ashets roon
Ett the peely wally triangles o breid
 (thin as a leaf, wi cucumber atween)
Savin the scones for last
They tap it aff wi cream..
 Scones, for the fashionistas

Sheena Blackhall

CONTERMASHIOUS

(Glesga lockdoon Awprile/Mey 2020)

A haiveless drift o gowd-pink mizzers the days
– nae lock-doon fir gean-flooers, nor birds;
athort the lift a blaikie's sang rings clair
an cushie-doos roo coo a siccar o lang syne.

Waakin ma lane oan quait wide roadies
thro greenin howffs o larick an birk
far the sicht o an oncomin ootlin
gars me loup tae ma twa metre distance

yit mirky-mou'd, laachin, eyven *Thenk-ye*
as we shochle oot each ithers' wye.

An mangin fir a bosie rives sair
– the ainly dawt oan ma skin
this sun-waarmth o freenly steen
fyle I rist oan an auld gairden dyke.

Sheila Templeton

IN THE GLEN FAR I WIS YOUNG.

Catched in the heather's twinin airms,
The nameless burnie, secret, lies
As my fond luver, efter-stang
Ferfochan, slept neth Simmer skies.

The jynin fever's like the win
That shakks the fertile Tullich corn
As in the lift ower Lochnagar
The gaitherin thunner breeds a storm

The lichtenin sets the lift ableeze
The fern faas drookit tae its knees
Aa leevin craiturs in the glen
The stang o eirdly passion, ken
A pleisur, sic a storm tae brew...
Efter the lichtenin, cloud, sae blue

The nameless burnie threips an thrums
Reefed bi the heath, like ony skin.
I laid my haun upon his breist
His hairt gaed brakk-neck like a linn

An as yon blin-eed, bonnie burn
Curves, glimmrin, like the aidder race,
His fite hause-bane, his lithesome hoch,
Booed roon, the bracken tae embrace.

The lang linn, breengin frae the loch
Mells wi the puil, its thrust abated
Sae did my luve, on the muir lie
Still as a corp, wi jynin, sated.

As the grey gloamin gaithered roon
The mavis poored its sweetest tune
Unheard, bi the soun-sleepin loon.

The nameless burnie on the muir's
The luv-sap o the lowerin Ben
Weety an warm, it slips inbye

The foggy crevice o the Glen

Oh, Allt -an-t-Sneachda hashes, braw,
The Allt Darrarie clashes, churnin...
It's tae the nameless burnie, though,
My thochts, like salmon, keep returnin
As the dun hind that caimbs the braes
Follaes ae stag, as ithers spurnin.

Sheena Blackhall

MY LAND

Plays meltin slow airs oan the fiddle. Gars me greet.
Struts lik naebody else. The kilt wis inventit for struttin.
And struts darkly wi white gloves an orange sashes.

Has lochans lyin aboot aawye lik sma cups
o watter held in ribbed broon corduroy hills.

An licht sillered ower the Firth o Clyde
ice skimmins in simmer time, wrunkled
lik a saucer o new jeely pushed wi a fingger
tae test for settin.

Leaves sic a sweetness oan ma tongue
dusky-pink clover sookit dry ilka simmer.

An minds the sherp guff o blaikened neep
its lantern chippit awa sae quaitly
ma faither sittin aside the Tilley lamp.

Draws skeins o geese tae wild grey lochs
arrowin oor northern winter lift.

Has a squint smile, no brimmin wi confidence
tho teems wi heroes, sung an unsung.

Can niver say I love you, but hugs me
awkward an fierce. Gies me a bosie.

Sheila Templeton

THE CHAUMER

Hard bi the byre, Dod bothied in the chaumer
The byre, far rattens feeties nichtly pammer
An milkit kye staun chinkin in their chynes
An fuskered moosies squeak, like kittled quines

Richt o the chaumer stude the reamin midden
Left wis the peat stack, bi a binder hidden
Dockens, nettles, roosty hyews, a harra
Boorich o wandrin willies roon a barra

A lang dyke, keepin gowd corn frae the road
Far neep cairt cairriet mony's a dubby load
A road, flanked bi roch girse, an clover sweet
Far mauve an cream, the hairt-faced violets teet
Whyle ower the midden, midgies heezed abeen
Strang sharn, wispit strae, an glaury steen.

Dod's doorstep wis a forum fur the hens
A cluck o matrons reengin frae their pens
Fa hottered on the bile wi fairmyaird claik
A mither's meetin, newsin on the haik.

Ower tae the park, far Hillie's reid-caimbed cock
Screiched frae a palin, Dod's alarm clock.
His tacket buits stude scrapit bare o sharn
Set up tae dry, upeyndit, bi the barn

Thon bield far green-eed kittlins prowled the nicht
Fin gloamin dwined, an slippit oot o sicht.
Bide yonner. Yark the chaumer door ajee
Step in, gin ye can thole sterk poverty.

There wis ae windae, happit wi a screen
Cobwebs an stoor beglaurin ilkie peen
The windae, like a pictur on the waa
Cheenged wi the Sizzens… flooerin Spring, or snaw.

Neist tilt, a sink that wis as big's a troch
Wi ae cauld-watter tap, its plumbin, roch,

Fed bi a wall. It splootered watter oot
As weel's the antrin leaf, or girssy sproot.

Tap o the sink, a braid shelf ran abeen
An on't, a lean-tee mirror, roon's the meen
That showed the greive his mornin, blae, physog
Fin raxxin fur his blade. an mowser mug.

His heid wis bare, as roon's a peesie's egg
His neb wis roondit like a tinkler's peg
His chooks wir fuskery. Hair grew frae his snoot
His skin wis pasty as a baker's cloot.

Carbolic hid him smellin like a rose
Tae sikk the fairm kitchie fur his brose.
The fairm-wife fulled his bowlie till he scunnert
Nae feed man iver left her table hungeret

At hairst time, tae the park she brocht the fly
O buttered bannocks, tea an scones forbye
An steered the sugar smertly wi her speen
An cowped the dregs o tae-leaves ower the breem.

Spring Cleanin saw the chaumer's inside waas
Fite-washed an skinklin like an angel's braws
Steen-cauld, an besom-swypit wis the fleer
Far sat his guid sheen, buffed fur Sabbath weir.

A clootie rug ower flags wis clappit doon
Brunt bi the antrin spirk o chercoal broon
Far spittin sticks flang stobs, like angeret chiels
Frae yont Auld Nick's hett furnace, reid-chikked deils.

An iron poker, that the smith, sou-mooed
Hid vrocht, lay on the hearth, a cromack, booed.
Tae claw the mornin's aisse oot, far it lay,
A pyre o coal, a howp o poothery gray

The skuttle wis a coo's pail frae the byre
Keepin the coal, that reigned, the King o Fire

The fire itsel, a squar blaik hole, weel biggit
Wi twists o paper, kinnlers, crossed an riggit
Tae catch the evenin spunk that cracked ablow
Thon ruck o timmer, tae a lowpin lowe.

The lum wad sab, an sough, an mane, an greet
The win some nichts, blew doon a cloud o seet
Fin Winter gurred an grummlit in the lift
An roon the park blew wauchts o rikkin drift.

A bulb that swung unshaded frae the reef
Brunt like the sun, in its electric sheath
An raxxed the evenin oot tae lat him read
The papers. Gie the hungeret cat a feed

He liked tae garr it purr an straik its wame
His hackit hauns wad straik it like a caimb
An syne, on a wee stove, he'd bile his tea
His fitbaa shotties fill, till closin ee

Drave him tae bed, a caff mattrass on shanks
O iron, wi a bowster o saft banks
He'd dream o weemen fite an saft as snaw
While roon the chaumer, Winter's chooks wad blaw.

Aneth the bed, there sat an auld gizunder
An trap, fur fear some moose micht sikk tae plunder
The piece bocht frae the baker fur his fly
Efter he'd rigged, an bin tae sort the kye

Twa timmer cheers stude comfortless an sterk
That held his daungers, galluses, an sark
An on a kist, far callers dowped their docks
Bedd Jimmy Shand inbye the wireless box.

A calendar wis haimmered in the plaister
He crossed the days, tae garr the wikk rinn faister
Till Sabbath saw him cycle doon the track
Fule washin fur his sister ower his back
Efter he'd mucked the byre an sortit stirks
Whyle weelshod fairmers gaithered in their kirks.

The chaumer's teem... the cottar hooses, tee.
The fairmer's yett is brukken... hings skweejee
Swallas are reistin neth the chaumer's eaves
Thrissles creep ower the kailyaird, tarry thieves.

Nae cheery fussle rings ootower the lea.
Bit clank an chug o cauld machinery.
Fairmed bi an absent tenant. Corbies, caa.
The fairm-toun's teem. The girse, wides oweraa.

Sheena Blackhall

HAIRST MEEN

Sleekit stoats, we slippit ower i dyke
throw coorse thistles, reeshlin stalks
bowed twa-faal lik half shut knives,
we mowdied wir ain labyrinth
far nae minotaur wid roar, nae hostages
be sacrificed for ony keeng.
A warld o whisperin roadies, swirlin
green corn, far we jinkit an ran
caa'd wirsels deen, sprauchlin lik pups
in beaten halla chaumers, breathin
in each ithers' hert hemmer, fyle
i hairst meen's wyme swalled gowd
throw lang licht nichts. Ontil
i corn wis ready for cuttin an bindin
an biggin intil glitterin stooks. Ontil
i clatterin combine chased aabody
oot – doon tae i hindmaist square,
heezin wi sma herts, lugs pented flat
riddy tae rin for life itsel. Ontil
i stooks stood sillered, leeful-leen
unner i licht o a different meen.

Sheila Templeton

PANNANICH WELLS, BALLATER

The birks abune the braes rise braw
The erne flees up an soars awa
The caller bosky breezes blaw
Springs taste like ale
Drawn ooto Pannanich's rich Spa
Sair banes made hale

Knichts Templar in twal forty five
Suppit thon watters tae revive
An eftir, vowed they aa did thrive
Wi virr like steel
The tonic springs could yark alive
Sair sowels richt weel

A local wife wi scrofula
In sivventeen saxty, did doonfaa
Intae the bog, an sained o aa
Her skaiths did rise
Cured o King's Evil bi the Spa
Miracle prize!

Syne Farquharson, Laird o Monaltrie
Biggit an inn fur aa an sundry
Tae takk the cure, a fortiori
Twid dae them gweed
For his belief, tho a priori
Wis strang indeed

Fowk wi rheumaticks, bairns wi rickets
Frae baronets tae puir on budgets
Lord Byron, Walter Scott their assets
Wir keen tae share
Wi thon spa risin frae the thickets
Throw Deeside's air

Doon throwe the years, this magic airt
Its birks, its rowans, played their pairt
In bringin balm tae hurtit hairt

An thochties wae
As noo roon sides o tent an yurt
Wins saftsome play

Sheena Blackhall

FESSEN IN THE VERNACULAR

At times, life can be
a North Sea wave, brakkin ower me
caul an hard, like a fist
ah'm nae quick enough tae sidestep.

Like lost loves, it taks ma braith awa
an ah'm soaked through,
unable tae cling
tae the perts o me
nae shaped
bi the hershness.

At ithers ah'm a driech island landscape
shot through wi the strength o slate grey,
dense volcanic rock.
The dark violet sky circlin owerheid.

Theday, ah took ye past
the Fittie Bar, ma da's favourite,
far ma faimily congregated tae bid him his last.
There is ane o them wide blue skies
turnin the sea a deep bluegreen
like his een.

Ye mock ma accent that shifts
back an forth
fae Glasgow, ma spiritual hame
an back tae Aiberdeen
like the wee waves lappin at oor taes.

Despite the charged sea life smell,
jist the same the salt smerts oor kisses.
An ah'm grateful for it aa
an that ancient ability
tae think
wi ma hairt.

Lesley Benzie

THE BIRDIE

(Based on a photo of a garden visitor by Catriona Low)

A birdie teetin roon a buss
O thorns, keeked oot wi berry een
As if tae say, 'Fit like yersel?'
An as I bide in Aiberdeen
He addit 'Foos yer doos the day?
Aye peckin?' I'd tae answer 'Na
Oor cat chaws up oor feathery friens
Gin ye'd keep cheepin, flee awa!'

Sheena Blackhall

COTTAR WIFE

There wis ae year we laistit the hale twalmonth
twa hale terms, fae Wutsunday an roon again
– afore ma man fell oot wi the grieve.
Sae it wis back tae the feein-mairket an a new fee,
a different cottar hoose, an ootlin wife i the Big Hoose
nae kennin fit she'd expeck o me. Aathing clyted
oan the cairtie, bairnies, dishes, sticks o furnitur
the sheltie strainin atween the shafts. An ma man
dour faced, blaik browed, riddy wi his han
gin onybody daur an argie-bargie. Ma hert wis wechty
weerin awa fae that place, ma face begrutten in saut,
but nae for the cottar hoose, tho it wis bonnie eneuch.
Ma tears were for the grun, the blaik grun, its saft dairk
easin hert-sairs at Martinmas, crummlin throw ma hans
fan I'd plunted bulbs – blewarts, snaa-fite stars
o Bethlehem, skirie tulips, vauntie in their silk
 – its bountie i the simmer time, keepin us in maet;
the wye it seemed tae sigh efter a rain dookin.
An fit wud I gie, tae plunt a gean or an aipple tree
its croon o fite flooers brobbit pink wi ilka dawn
 – wud lichten ma ivery step, lift the hert richt oot ma breist.
But a tree taks time tae spread its roots, tae ease
inta the grun. Chynge disna gree wi that.

Sheila Templeton

DRUMNEACHIE

The ferm wis a peat shed, a stack o hackit kinnlin
The ferm wis reeshlin corn and a tattiebogle
The ferm wis buits lined up bi the lowe fur blaikin
The ferm wis washin skelpin in the win
The ferm wis a bee skepp bizzin in the gairden
The ferm wis twa reid kye, their udders stappt wi milk
The ferm wis swippert collies, hair as sheeny as glaiss
The ferm wis parritch bowls, an cream tae poor frae the joog
The ferm wis simmer days an cousins lauchin
The ferm wis dookin doon in the burn bi the dyke
The ferm wis the stank o girse, o sharn, o violets
The ferm wis the taste o hinney, o hotterin hotch potch
The ferm wis a brooch, preened in the hairt o Birse

Sheena Blackhall

THE NOTE

Her een catch
the solitary cactus
on the dinin table
as she opens the door,
wizened roots semi-exposed
aboon the gravel layer,
an stuck intae the parched yird
aneth
is a spliced stick
haudin a folded note.

She roogs oot the note
an reads the words,
wi their covert barbs
masqueradin as reason,
that cut richt tae the saft quick
o her finngertips.

She marvels at the mind
that created this strange holder
raither than jist leavin a note
on the table,
realisin again she has nae idea
fit maks it tick.

Relieved noo fae the need tae try
an the purgatory o irreconcilable differences.

Lesley Benzie

II

... that still
waarm beatin hert happit deep
in aathing we ken o earth

KISSIN

She mynt a time
fan their lips
were tumescent wi wint
an yet saft petalled,
tremblin wi the dew
o new love,
breathin moisture
intae barren yird.

The lipid tingle
beginnin wi the first brush
then the rush tae consume
aa that ane anither had tae offer,
till lousin time cam an went,
tae mak ane anither hale again.

Noo aa she can feel
is foo far ye've retreated
fae the surface o yer skin.

Fan ye pucker up
its like a ticht draastringed pyoke
makkin damned sure
ye gie naethin
bit the staleness o braith
that barely kens
it's livin.

Lesley Benzie

EFTERHIN

It's nae the ceremony, she said. Nae eyven
the voos an the tremmlin fummle o rings;
nae the tenderness o the meenister wi his hertnin luik
tho aa that dis bring a tear that aftentimes spills ower.
It's nae eyven the speeches or the luik they gie eenanither
fan he swallies an stummles ower Oan behalf o my wife
  an mysel…
tho that can growe a lump in ma throat.
No, fit braks ma hert is fan the dauncin sterts.
Did I iver tell ye, he cudna daunce, fan we first gid thegither?
So I fun anither lad, for a fyle. An syne, he askit me oot again.
He'd been tae classes, learned tae daunce.
Eftir that, there wis ainly him. Forty eer we daunced.
An I'm shair we'll daunce again, fidder we'll be
a bittie win playin wi a leaf, or twa draps o watter
racin een anither doon a rainie windae tae plash as een;
or the hinnerend o a wattergaw archin inta the grun.
Of coorse we'll daunce again. O that, I hae nae doot.
But richt now, ma dear, I need tae excuse masel.
Kiss the bonnie quine an shak the bridegroom's han
for me. Tell them I'll see them in the morn.

Sheila Templeton

DREAM O THE RESTLESS BAIRNICKIE

I dreamt I jyned the Seelie Coort
An rade upon a futterat's back
It could baith flee an sweem the tide
An breenge ben mony's a happit track

I slept aneth a puddock's steel
I sprooted wings, sae moosewab licht
I climmed the steepest watter linn
Haudin a salmon's tailie, ticht

I steppit inno warlocks' haas
An watched them steer their potions roon
I wyved ma eildtrich wan, an syne
I gart ten siller stars drap doon

I kept a tiger in ma pooch
I liked tae hear it yawn an purr
An fin a bogieman lowped oot
It chased him wi a muckle gurr

I fand a gowden clarsach braw
It played me mony's the canty tune
An it could daunce baith but and ben
Frae midnicht's quaet tae noisy noon

An fin it rained, abune ma heid
I held alaft a gowan flooer
An fin it snaaed a robin tuik
An warmed me in its feathery booer

I hurled on beeswings throw the mist
Tae crannies mortals dinna ken
Tae play wi feys an fire-flauchts
The blythest bairnie in the glen!

Sheena Blackhall

HAME FAE SKWEEL

She couldnae mynd if it wis real.

Openin the front-door on return fae skweel,
her unconscious mither sprawled halfwye oot
on the lang lobby fleer, an fae the waist doon
droonin in the kitchen.

The broon peel bottle nearby
an in her mither's fist an anonymous
crumpled letter, *tae let her ken*
fit her man wis up tae.

She dis mynd, for a time, hivin tae bide
wi her cousins an aunty an uncle.

Her uncle's dark beard an een close tae her face
as he barked, *Yer nae in yer ain hoose noo*
so dinna iver tak biscuits oot ae that tin
athoot askin oor permission first!

She jist stared intae the wee blue-n-fite-marbled
plastic cup, that made yer tea taste like despair
while creatin ripples within its inner well.

Lesley Benzie

WIDDENDREME O AN ASHET

Yestreen I dreamt ma ashet
Hostit a resurrection

Ma grilled lamb shank raise up
Wi a ghaistly baa
Briered skin, oo, hoof
An hirplit ower the brod

The roastit bubblyjock
Heidless, strode ooto the garnishins
Said cheerybye tae the gravy, tatties, stuffin, Brussel sproots
Its feather re-happit its wyme.
Wingless, cleukless, it rowed aff back tae the kitchie
Luikin fur tint intimmers, een, beak, wattles
The hale kiboodle

Frae the founs o the soup pan, the grumphie's hoch
Steppt ooto ingins, lentils, carrots, pizzers, neeps
The bree frae its ain sappy maet
Its hide grew back again on its haggard hurdies
Rumba-ed ower tae the oven
Tae the tune frae La Boheme

The fried steak hotterin in mushies
Moo-ed as its leathery rump
Sliddered ontae the fleer

I waukened jist as the sushi
Stertit tae stink like fooshty dulse
Scales like sequins skinklin in the bowl

Sheena Blackhall

TIMES CHYNGE

He's nae muckle mair nor a halflin
ma chiropractor mannie, full o virr
fae his broad shooders tae his
weel shapit shanks; a bonnie heid
o dairk curlin hair an blaik, freenly
glintin dairk een – aathing a quine
cud wint – an mair.

He shoves
an pummles ma auld beens aroon
athoot eyven brakkin swyte.

Eence upon a time, I'd hiv eessed
mebbe different wirds, different wyes
o singin his winnerfu ferlies,

but richt noo, ma faavrit o aathing
he daes – a sma, sma soondin thing
is jist i wye he pulls doon
the edge o ma lirkit-up top,
rugs it doon wi a gentle haan
happin me daicently
 – lik a mither.

Sheila Templeton

PARKIN LOT NUMMER 44

Doon the steps fae the Signet Library
Weet blaik tarmac, back o the door
Waddlit ower bi cooshies
Shitten on bi scurries
Wattered bi flurries
O shooers.

Parkin Lot nummer 44
Blaik as Bible Brods
A bield fur boosers
Yowled ower bi Toms an tounsers
Here lieth the mortal beens
O John Knox RIP
The VIP o mony's a history lesson
In Scottish skweels on mochie efterneens.

Parkin Lot nummer 44,
In life yer tenant
Niver brichtent the warld
Like a flicht o cockatoos
Explodin ooto a pink flamingo loch
The dreich rain piddles doon
Cairryin roon his crotch
The bree o Embro toun.

The claik o Hindi
Rattles abeen his heid.
John Knox, fa wis alive,
Bit noo is deid.

Sheena Blackhall

TAUGHT OOR LESSONS

At skweel the teacher telt us
that she wis, *trying to make us
all fit in, for our own benefit.*

We learned: bi rote a twist on history,
till we could regurgitate it.

An foo tae live in a Union
far they've aye ruled
an we hiv wreaked their cruelty,
ower flesh an yird, tae mak
oorsels a match.

We were gien a row scolded for sayin fit
instead ae what, an far
an foo ye daein, instead ae
where and how are you?

Sae fully inculcated tae the task
that fan Maryanne speired,
*Bit fit is it that we aa need tae fit
in wi?*

The teacher's riposte wis, Speak English
girl, and stop asking stupid questions.

Lesley Benzie

PUIR MAN'S JAM

Ma da made puir man's jam
Better than fish paste
Better than gozzers
Better than fatty spam

He spreid his breid wi a skelp o marg
Raxxed ower fur the sugar jar
Skirpit it ower the marg an syne
O sannies twis the star!

Sheena Blackhall

MONTHLIES

(In Cantonese, women describe the time of menstruation,
as 'my great aunt has come to visit 'Yi ma lai doh'. In some
Deeside areas, women say 'Granny's come doon frae the hills'.)

Cramps grip the pit o yer wyme
Like rakes, rippin seggs frae the sheuch
Muscles knot like the belly cloor
That aixed Harry Houdini

The monthlies could drap me tae ma knees
Bring on the hett baths, asprins, hett watter bottle
Ticht in the foetal position

Aince, in a Darlington job centre
I feintit wi the pain
Hittin the fleer wi a dunt
Waukenin up in emergency
Seein a bricht an smiley doctor
Weirin a kipper tie
Fa suggestit 'a scrape'
As if the wyme wis a saucepan
In need of scoorin
'Or childbirth' he cairried on
'wid swacken things up doon ablow'

As God set it oot in Eden
I'll sherply increase yer pain fin giein birth
In pain ye'll bring furth bairns
Cursed is the grun because o ye

Ay weel, thanks fur thon
The short eyn o the stick

Sheena Blackhall

NEWS-GIZZENT

Fit news
wid I fesh ye
o this place i noo?

I cud spik aboot
i coorse watter-brak
spleet-new alang i strand
an spik mair aboot fit wye
naething growes in i gairden
ye warsled fae snell oot-wins.

I cud nyatter on
aboot i bonnie grun far ye graiped up
pearly buds o new tatties
– aa saddit noo in lang wiry girse;
fyle i grizzelt sea tyauves on
– aathing foryat, aathing foryat.

I cud tell ye
that I took flicht afore mirkin,
feart for i chilpie glower
o dairkened windaes.

But I'd raither tell ye
how yowies breenge yet ower green parks
an i chiel wi the sma blaick tyke
has oor name;
that bethankit still cams afore meal an maut
in i hoose o yer brither's loon;
an fan we closed wir een for i gweed wirds
it wis your vyce i that room.

Sheila Templeton

JUNKIE'S JEWELS

Donnie in the mornin, gettin Izzy up
Makkin sure she feenishes the cocoa in her cup
Puin on her schule claes.... butterin her toast
Raikin fur a sweetie, tae sooth his sister's hoast.

Izzy's peed the bed again. Izzy disnae sleep
Donnie's waukent hauf the nicht, coontin stars an sheep
Hamewirk's niver haundit in. Teacher'll ging gyte
Denner money's niver pyed. Donnie gets the wyte.

Dealer on the corner, sellin hash an smack
'Hello Mrs Flanagan. Wid ye like some crack?
Wid ye like a dooner, an upper or an e?
A ticket fae the cooncil scheme tae lan o fantasy?

Dealer's watchin Donnie. 'Here's a penny, son.'
Easy catchin customers fin confidence is won.
Needles, gear an syringes lie aside the bed
Wi Donnie's pyoke o polomints an Izzy's Mr Ted.

Ma sez she lues them, her bairnies are her treisurs
Bit mas hae needs like littlins. An mas maun hae their pleisurs
Fit's aa the steer aboot? She disnae wauk the street!
She niver lifts a haun tae them! They've aywis crisps tae eat!

It's lanely fur a littlin fin the dragon comes tae play
Fin the big fowk on the sofa dinna hear a wird ye say
She niver leaves them hame alane tho bendin aa the rules
Mas can be hame bit hyne awa, fin yer a junkie's jewels.

Sheena Blackhall

THE DIVIDE

Her burgeonin stomach
got cut doon tae size.
The machete broucht hame
the tribal truth we aa ken,
that bleed an amniotic fluid
are weet, bit as they spurt
towards the sun, they dry
on baith sides ae this manmade
divide

a mother's hairt stops
an her bairn's
a few beats aifter.

Lesley Benzie

AT FIFETEEN WIKS

The *Baby's First Year* buik
spiks aboot – *recognition of faces:*
can see a face drawn on a page; can see
yellow.

Sae we're luikin thegither
at a picter buik, blaik, fite, yalla
a daddy face, a mammy face, a bairnie face.
An herts – yalla, blaik an fite herts
– ivery box ticked.

Ye lik fine the crunkle an squish o ilka page,
lik that ye can haud them, pull
a neuk intae that rakin wee mou.

We chaunce anither een, mair blaik an fite,
teuch hard cover. An you luik – oh the *Baby Book*
dis ken – ye can fairly see the picters.

Bit they've nae appale.

Yer saft moo gnaaves
a sherp shiny neuk, pulls awa,
raxin for waarm skin

that slippy wee dert
o yer heid, auld as life itsel
tae *latch on*, stravaigin
roon ma neck
ma auld grunnie neck

niver mentioned in the buik
nae yalla nor fite nor blaik
bit waarm, meltin waarm.

Sheila Templeton

CHAT LINES ON TWITTER

A langtime freen fae Aiberdeen
telt me she wis chattin tae three different men
that she'd 'met' on twitter. Photaes confirmed
they were aa deid guid lookin.

Ane wis black, wi gorgeous broon een
an bade in London. He an his wife
hadnae slept thegither for ten years.
They'd split up an reunited back then
aifter he had had an affair.
Fan ma freen suggested he spik tae his wife
aboot it, he reacted like there wis mair chunce
o warld leaders at COP26 strikin a deal
ta save the planet.

The second ane wis athletic wi blond hair
an blue een, an bade some ither far awa place.
He had tried it, an decided that relationships
were nae for him, bit still he aye wintit
tae pye her a visit.

The third had been merrit an divorced
an affen had his three wee bairns at the wikkend.
He kept invitin her tae visit him, awa doon sooth
on England's eastern shores.

She had telt them aa repeatedly, that she wisnae
interested in relationships, or ony complications.
An confided tae me, the mair she knocked them back,
the mair they wintit tae lap her up.

Aye richt eneuch, ah said, Yer nivver short o men
tryin tae sniff at yer tail fan yer a far-fetched dream
an yer nae makkin ony demands o them.

Lesley Benzie

THE CORPSE CRITIQUES THE KISTIN

It wis my siller, bit ye canna takk it wi ye
Ooto my pooch an inno the unnertakkers
Masel, I'd raither they treatit the bairns
Tae a wheech roon Paris Disney
Bit I'd nae say in maitters post mortem

The dirt some fowk cam oot wi at the viewin:
'He's affa like himsel.' 'He disnae luik weel'
' The unnertakker's pit on ower muckle mascara
He luiks like Dame Edna Everage in thon rouge'
'D'ye think so? Na, I think it's jist the booze'

I canna say I warmed tae their choice o kist
A glorifeed wheelie bin vrocht like a coffin
Bit the crematoria tips the bodies oot
Like the waste bins dae intae the rubbish dumps
Frae bin tae fire, ye ken, syne a wee skoosh
It wis ready tae recycle, afore I gaed up the lum

The kirk service? I niver likit thon langamachies
Meenisters raxxin oot ae wee thocht fur an oor
Bit fitiver floats yer boat. I wisnae best suited
Tae see some fowk at the do I cudnae thole
Eneuch tae turn yer stammache some o thon chauncers
Fa's idea wis it that mourners should cam in fancy dress?
If I wisnae deid I'd hae cowked fin Scooby Doo,
Elvis, Captain Hook, Reid Ridin Hood, an Humpty Dumpty
Turned up. The funeral director was dressed as a ghaist
I thocht thon wis in gey puir taste

Flooers? Ae faimly wreath wi a Scottish twist
At least it wisnae plastic. They got thon richt.
Bit heavy metal frae Iron Maiden fur music?
Plugs fur lugs should hae bin haundit oot tae aa
Haein the funeral tea at McDonald's wis inspired
Drive throwe, because o covid.
Better than salmon paste sannies an a scone

An syne, the hinnereyn. Aisse, tae be poored
Oot intae the herbour, frae a plastic joog.
Ae pluffert o win blew me richt back ower their faces
Lauch? I nearly deed!

Sheena Blackhall

NAE ANSWER

It didna feel richt tae waak by
tae leeve it glintin there in the loam.
I kent it wis his. The han
wis anither maitter aathegither,
gowsty starfish fingers beached
oan glaur lik aa the rest. But that ring
it wis his. The eagle, raised prood
jist a bittie chip aff ae wing. Scratted
ma han thon nicht, fan stars exploded
in frosty peace. An we daured luik up,
kicked a cloutie baa ower mune-hard grun.
I gied him a woodbine an lichted it. Danke.
Danke. That's fit he said. I unnersteed.
Shook hans. An wissed eenanither
A Gweed Yuil. His ring felt wechty, barkit
ma knuckle, drew bleed. Fan I jumpit back
he laached oot lood, pynted oot i roch bit.
I think he said his mither gave it him.
He marked oot 17 in the grun atween us
an smiled at me aneath oor stars.
I knelt aside his puir sypit een
an couldna luik, as I wraxed it free.
It didna seem richt.

Sheila Templeton

ANETH THE STAIRS

Hivin naethin else
bit neebourly relations,
she wis caught
unawares
fan he said he had somethin for her.
Then she wisnae sure
if he wintit tae gie her it at aa,
cause as he placed it in her haun
he pulled it back an fore,
then pinned her tae the waa,
aneth the stairs, ahin the lobby door.
His grin frothed whispers
she didnae unerstaun,
till he came
tae the point
in her haun,
she pulled awa
her sma grasp
on reality,
retreatin
intae the childhood fold,
she closed the door
an washed
secretly.

Lesley Benzie

NORTHSICK

Blaan here, lik a thochtless leaf, I sattled
for saft scented days, for bane-waarmin
suthren sun. Here I've bidden, aa these years.
Nicht time I waak unner a melon mune
ripe, gowden, drippin ootlin stars
abeen a sweet dairk lift, swingin sae close
I cud wrax up an pu them doon for lamp-licht.

But last nicht I waakened up, tears begrutten
rimey trails doon ma face. Aa I cud think on
wis a winter morn lang syne. Gaspin lungs
in ice-thick air, skitin an slidin the hale road
tae the skweel. Hamesick for frost rivin the braith
fae ma breist, for that high lift, a fite burnin mune
the aipple green veils o the Merry Dancers.

Sheila Templeton

HATCHES, MATCHES, DISPATCHES

Ilkie day I buy the local papers,
Charity blethers, weather, council maitters,
Domestic stooshies, druggie daiths,
I read the sklaik; the doon an oots, the chorers,
The reader's letters, ingle neuk debators

Ilkie day, the crosswird swackens ma harns,
Fits in ma starns. Photies whyles frae the past
Arson in hooses an barns.

An syne, the obituaries.
I am noo ane o that breed
O baby boomers, at the heid o the queue,
Ready tae jyne the deid.

I scan the nemmes fur neebors, kinsmen,
Fowk that I hae kent. A twa three lines
Mynd me on transience

Whyles, I supply fit's missed atween the lines,
Wis she a bosker, blawin bubbles at bairns' pairties?
Wis he an auld fart frae birth, a human fossil?
Wis she aywis contermaschious, the office smerty?

Wis her life a colour slide show, aywis static,
Wis his, like a moose in hole,
Better be quaet an borin than dramatic!

Fin aa's said in the press, twa days on,
The days mishanters
Are the morn's chip paper,
Frae seed tae flooer tae aisse,
Corruptions biggit intae human natur.

Sheena Blackhall

THE PRODIGY

Ma five year auld son
said, *Mum,*

*if ye were faain doon
a big cliff,
fit wad ye hiv
at the bottom,
watter or rocks?*

Ah said, watter,
convinced that's
the only wye
ah could save masel.

Bit he replied,
*ah'd prefer rocks
cause ah canna swim.*

An his grin wis
indestructible.

Lesley Benzie

LAIRNIN ABOOT LUVE

He cairriet Paddy tae the car
the auld blue-bottle Morris.

They didna cam hame til aifterneen
the eeswal time for their entry, garten
wi danglin leggy hare or rubbit.

It wis still winter time, but a saft day.

So a grave cud be dug as aisy as that
can iver be, fan the tall chiel, my Granda
cam roon the side o the hoose, cradlin
a sma blaick tyke, swaddled in a saick.

Naebody helped. An naebody hinnered.
Eyven we bairnies didna speir.

Grunnie wis bakin, fillin the kitchen
wi a mound o gowden bannocks.

He sat ootside tae clean his gun;
then washed himsel at the kitchen sink
forsakin oor spleet-new bathroom.

I lairnit aboot luve that day.
He wid niver hiv eessed sic a wird.

Sheila Templeton

OAN MIDSUMMER EVE

I winna seek tae meet ma luve
lik ither quines. Nae for me
the midnicht runes, the folded
fresh plucked rose, garlands
o lang fennel, orpine, green birks
decked wi lilies, the giddy loupin
ower the boon fires. Raither
I wad lie alang the warld's curve
its sweet spine, waatch sunset's lowe
dee smeerless athort the west
half-grown shinin corn reeshlin
a promise o steepled stooks,
ma licht a moth-glimmer mune
– an daur the seelence;
daur tae listen for it, that still
waarm beatin hert happit deep
in aathing we ken o earth.

A Sami myth says that in the beginning, the god who made all
things took the beating heart of a two year old reindeer and set
it at the centre of the earth. This is the rhythm of the world, the
pulse of life, the source of all being and as long as we can hear
its beating, all will be well.

Sheila Templeton

HISTORY LESSON

Ah ken a story aboot yer life

hewn as hard as yer granite toon steen,
born the wonder boy
o a wild bewitchin gypsy queen,
beauty fixed only soul deep
an in sepia memories.
Years maddenin her black een
bent grunward
wi body's burden o birthins,
miscarriage o life an justice.
Bearin still a rich hairst
o eicht loons an quines,
raised on poor pickins
o fish brie an porridge.
Her life pined an pawned
alang wi yer da's Sundi suit,
rarely needed
fan yer an absentee at sea.
A rough an ruddy trawler-man,
infrequent visitor tae the land,
lordin still wi a mere fish fry.
Present jist lang enough
tae dip his rod,
catch her aff guard again,
plant his seaman's semen
atween sheets an booze bouts.
Yer smert sea-green een learned
well an quick tae despise, spyin
as he stole awa her life.
Daein as she wis bidden,
leavin her wi bairns
tae fend an fail for
in a twa-roomed midden.
Facin shameful the poor parish rebuke
an gut-wrench o hungry looks,
o only dreamin freedom
in furtive bauble-buyin sprees

at tinkers marts.
Concealin worthless idiosyncrasies
aneth the bed wi her bleak trachle.
Her tragedy, an that o mony,
echoed in yer youthful mission,
spawnin an spurrin owerbearin ambition
tae rise aboon the streetwise debacle.
Ye worshipped yer ma bit despised her life,
determined tae find the perfect wife
an be the perfect husband.
Ye'd lead the wye, she'd obey,
work day an nicht on yer fecht
fae rag an bone tae riches.
Cause, though cliver ye be,
ye wintit mair for me
than jist that worthy trait.
Bit comfort aye comes late
an ah watched ye chase yer tail
cause ye chased a dream
that wad fill yer pouches
bit nivver mend
yer unfilled paupers hairt,
that tethered ye tae failure
makkin sure ye'd nae be free
nor stem the tide o yer history.

Lesley Benzie

PUNK WI A SMA P

Ah waited at the John door,
in the birthplace o American punk rock,
beside a quine fa wore a vinyl lace-up corset
secured bi straps an buckles,
wi a matchin miniskirt an suspender belt
attached tae fishnet stockins
an boots that were made for rockin,
a leather jacket an
enough bracelets that made a racket
sae ye could hear her comin
afore ye got a glimpse at a hunner paces
ae the scarlet nails, lips an hair
that set aff her scary pussycat face.

She said,
What the hell takes them so long in there?

Ah said,
They're probably pittin on lipstick an combin their hair.

Well, who in the hell cares.
Me, I just don't give a damn what I look like!

Lesley Benzie

FIRST MEEN O JANUAR

Ma mither an her sisters held tae the auld wyes

Niver luik at the first meen o the eer ahint gless;
ye maan be ootside unner the lift
bow an turn roon, three times, siller in yer haan.

Gin ye'd the mischancy tae see it first throw a windae,
eyven mair need tae get straicht ootside
siller in yer haan, bow an mebbe an extra turn or twa.

Mony's the nicht, oan ma wye hame fae the skweel
I'd be staannin at the bus stop, luik up –
an there she'd be, that pale howp hingin
bricht in the cauld northern lift.

An I'd fummle for a coin, or gin I'd a ring or a chain
– as lang as it wis pure siller – tae mak ma bow an turn,
pittin oan tae the bus-queue that I'd hitered
or wis teen oan bi sum fripperie in the shop windae.

That wis aa sic a lang time ago.

But the ither nicht I waatched ma son
tak his son in his airms, as they dee ivery nicht
See mune, Dadda – so ootside we aa steppit
intae jeelit dairk Januar air, squallachy cloods

there she is, bricht horns curvin roon the lift
lik they've ayewis deen – an I hear masel oot lood

I'm richt gled we're nae seein the first meen o the year
– this Januar meen – thro gless.

Sheila Templeton

III

Fin Daith cams, as He will,
I winner fit he'll say?

THE POLITICS O SEX

For a moment she flirts
wi the illusion that there wis a time
fan it wis jist wild an uncomplicated,
driven bi life's primal need
        for a visceral thrill
an its requirement tae keep repeatin
                the same mistakes.

Bit really, she kens it wis aye political,

an looks on in dismay as rightwing
                politicians fuck the future,
denyin culpability, as they play
tae a gallery ae 'proud boys',
chock-fu o theories aboot migrants
an racial replacement, while harkin back
        tae a time 'fan men were men'
        an weemin kent their place
                aneth them.

If their wishes cams tae pass,
possession will be
        the best expression o a man's love.
An he winna hae tae buther aboot gaein
ony pleasure or feelin inadequate
                aboot the lack o it either,
as he has his wye wi her as mony times
as necessary tae ensure a reversal
in the decline o Western white populations.

An the rape an pyson o Mither Earth
                will continue.
For they're way too feart tae pye attention
        tae the scientific 'doomsayers'
preferrin tae remain blissfully unintelligent
tae the fact that forever toxic chemicals
        have caased mens sperm coonts

tae nose-dive bi 59% since 1975
an that aa the while they've been fuckin
themsels in the fit.

Lesley Benzie

LOT'S WIFE

Luikin back, she saw her maiden-sel,
Her sma breist, warm
In the palm o his langin,
The sliddery girse, the broon yird
Movin aneth them.
Twa in ain,
A Beltane jinin,
Makkin a wummin
Oot o a trimmlin quine;
An wee an far abeen
The branchin wid,
Booin its airms in blessin.

The waddin ring held constant;
Time didna twist the circle,
Naething cud grind it doon,
Wechtit gowd.
Lord, it wis sweir tae shift.

Ye wid hae thocht twa fowk,
Wi the early pech o passion spent,
Cud still luik at the road afore,
An nae tak scunner.
She swithered, luikit back.
Aathin she did, gaun forrit,
Wid be a faat.

Sae wis't a winner,
The first steen tear
Frae her hardenin hairt,
He wid neither heed, nur need,
Hid the taste o satt?

Sheena Blackhall

COP26 ON REMEMBRANCE SUNDI

On Remembrance Sundi, ah hear bells toll
an St Andrew's cobbled alleywyes echo
wi the voices o the youthful elite.
Their ermine collared, reid student capes
nonchalantly draped ower their
Setterday nicht-oot, crumpled claes.

Their entrance tae Holy Trinity Kirk,
alang wi St Andrew's well-heeled,
safeguarded by military police
blockin the roads tae aabody else

sae that they can remember the deid
o the 'war tae end aa wars', Warld War Twa
an aa the ithers anes that came aifter aat

as colonial powers sent workin class sodgers
ower the tap, in an effort tae hing ontae
the territories that enriched us at their expense.

Jist ower sivventy miles awa in Glesga,
though it micht as weel be a million,
warld leaders approach the finale o their show
tae reach agreements that micht keep the rise
in global temperatures ablow 1.5 centigrade,
athoot changin the economic system
that has broucht the Earth tae the brink,
or in ony wye compensatin ex-colonies
for the disproportionate sufferin oor
historical greenhoose gases hiv on them.

As the Warld Economic Forum discusses
the 'Global Reset' that will set even mair power
in less an less fowks hauns, perhaps the best wye
for warld leaders tae protect the Earth's atmosphere
is tae stop spoutin sae muckle hot air.

Lesley Benzie

DISJASKIT

(Fae a TV news item, showin fowk escapin durin the Yugoslav Wars 2001.)

Sum place in ma mynd's ee, at ma shooder
he's aye there; that devall he taks
richt oan the edge o a roch roadie
birrin itsel up the glowerin slap
o a heich wintry ben.

His jaiket's ower big for him, worsit
twenty years oot o fashion
a grown man's jaiket – bleachit grey
lik the lift the day an the lowerin cloods.

He's gaan tae be a big chiel,
but he aye hus that saft ootline
that bonnie sonsiness
loonickies hiv – jist afore they growe.

His mither clims aheed o him
huddin ticht tae the bairn i her airms.
It's blin drift, smoorichan aathin.

He stops a mintie, taks a lang luik
at aathin ahin them
fitiver is left o their brukken life.

Eyven fae this disance o camera lens
– an the lang miles atween us,
I can see, mair clearly than I'd wint,
the tears dryin oan his saat-begrutten face.

Sheila Templeton

CLUB CUBANA

Diverse unlatin feet grapple wi the salsa
at the club the nicht.

Identified wi the politics o oppressed
we help unify the writhin bodies.

Ah squirm uncomfortably
in the void atween the idealism
an the realism o a Latino
vowin wi loaded machismo breath
tae, teach me all he knows.

For an underdog he's a fast mover,
bit ah rapidly reassure,
ah've been taught those lessons aa afore.

Detached fae me an ma rejection,
he taks his impartial erection
for a wander
tae sniff at mair receptive
fair flooers.

Ah tak ma smile an find misel a while
in a hot needed sweat merengue.

Ma unadept feet play pretender
tae the close encounters
native wi the beat.

The dark sweet energy
penetrates ma weary banes
an ah feel richt at hame,

regardless o ma heid full ae shite,
ma soul's full an brimmin
ower the fleer ah birl aroon
the broon skins

an momentarily ma warldly fears
pale in significance.

The United States has continued a trade embargo against Cuba
since 1958. Club Cubana ran throughout the 1990s, raising
funds for medical aid for Cuba. Salsa and Merengue classes ran
earlier in the evening followed by a Latin American influenced
club night.

Lesley Benzie

BURNIN BUSH

In its twaa largest cities,
the inhabitants choke
as if they aa hiv a 30 a day habit
an the reid hot glow ignitin the sky
can still be seen
through the plumes o smoke
fae millions o acres
o burnin bush.

Bit there's nae a voice fae God
instructin him tae lead his people
tae safety.

Instead, fae his sun bed in Hawaii
he evokes the sacred *Aussie Spirit*
that has enabled them tae endure
through calamity an bush fires
such as these afore

while he tries tae pour watter
on aa the evidence
that there has nivver been
bush fires such as these

an denies the blueprint for land management,
dyed in the bones o the country's first people

fa brocht fire fae the centre o the earth
far aa humans were cast in black, reid, yalla an fite
in harmony wi netter.

An despite sma pox an cruelty
like they hid nivver seen,
hiv preserved their cultural fires
in sanglines an walkaboots that began
60,000 years ago in the dreamtime.

As if, half asleep, he repeats,
Now is not the time to talk about climate change

for the kingmakers o coal whisper,
in his dreams, aboot the billions o reasons
that he needs tae pit
his country's economy an jobs first

an ally himsel wi aa them fa allege
that it's a conspiracy theory
concocted by the looney urban elites,
that we are aa in the same ark o this universe

as each national leader competes
for their country tae be *first*

tae consume aa the earth's finite resources
tae fuel the lifestyle tae which
the God o free trade says,
they are entitled

Meanwhile a source
o year-roon renewable energy
beats doon on their heids, empty
o conscience,

for this time, it's only a few tens o fowk fa hiv died
an tens o hundreds o hames that hiv burned.

Their atmosphere stingin wi the singed flesh an fur
o reid kangaroos, emus an koalas which are amon
the billion animals fried in the scorched trees
that money disnae grow on.

Lesley Benzie

THE FECHTIN DOMINIE

('I am not here, then, as the accused; I am here as the accuser of capitalism dripping with blood from head to foot'. John Maclean's speech at his trial 1918.)

Ahint yer hearse they githered that December day
nummers niver seen since syne in Glesga, twinty thoosan
mebbe mair – steppin oot the lang road tae Eastwood,
tackety buits an dainty sheen in the seelence o frosty air.

Aabody claimed ye fir their ain, sauls thirsty fir learnin. Ye set them ableeze
gied them new een, new warlds; Celtic Communism, votes fir weemen,
the feenish o colonial pooer, modren noshuns tae bring back the auld wyes
 – yer black een sparklin, wirds weavin sic truth, kittlin up brave herts.

An mak a difference ye fairly did. Reed Clydeside set oan its road
yer speech fae the dock eesed tae this day,
a set text fir socialism; a hunner year syne, yer face
oan 4 Kopec postage – but yer stamp oan Scotland foriver.

An wis it wirth the cost, John Maclean? Peterheid jile, that rubber tube
sickenin doon yer thrapple, puir fushenless lungs, fite hair at 40;
Agnes an yer quinies awa fan they cudna stamach anither day
o makkin-dae, niver eneuch siller. Yer ain licht oot at 44.

I jalouse ye'd say there wis nae chyce – naethin else for it.
This wis aye the darg set oot for ye, the darg yer starnies sung.

Sheila Templeton

SHORIN UP THE IMPOSSIBLE

There maan hiv been a telegram. Did ye rip it open
ashen-faced, or did ye haand it tae yer mither?
I jalouse ye'd hiv deen it yersel, bowed ower
in that waarm kitchen, a haan up at yer throat.

Nae easedom in War Office spik. Ye kent
a shell hud blaan him near tae smithereens
in Flanders dubs, richt at the front,
wi aa the ither sappers, shorin up the impossible.

Ye couldna thole the waitin. Packed. Dressed
the twa bairns; silent mither waatchin;
train fae Aiberdeen tae Glesga.

The cabby wis kind. *Gie me that.*
Ah'll see ye tae the Ayr train.
Whit bonnie lassies! Goin fer a wee holiday?

Yer brucken hert scrapin up a mensefu answer
but thochts yammerin – Faar will we bide?
Will there be digs in Ayr? Is it close
eneuch tae Ballochmyle Hospital?
Fit if – I canna luve – fitiver he is now?

An some comfort, some ease in waatchin
thro misty sweyin gless, that parks in Ayrshire
breenge green richt doon tae the sea
an burnies rin clair ower beddie-steens
as skinklin as Don watter, fyle i train wheels
dirl oot their rhythm, same as yer hert.

Ivery day for that lang sax month, ye wint tae him,
bringin the quinies, keepin them as quait as ye could.
An that day faan his doctor said he could try a waak
a hirple roon the hospital gairdens, that wis the nicht
ye prayed, fierce-faced, knees sair oan cauld linoleum.

Let him nae be sint back. Please God. I wull niver
complain again. Aboot onything. For aa my days.
Jist dinna send him back. Amen.

The day ye managed the sea-side
an there ye are, aa mirky in crackit sepia
the bairns laachin, button buits aff
staanin queet-deep in saat watter
Winnie lookin oot unner her wild frizz
Peggy velvet ribbon slidin aff cornsilk,
ma ain mither nae yet quickened.

I'm bidin noo near that same beach
an winner, luikin at yer stilled faces,
fit brocht me here? But nae wye tae jalouse

— same wye Granda wud niver spik aboot
the knots o purpie scurls, trappit shrapnel
ahint his lug an curlie-wurlin there
lik a map, on the back o his left haan.

My granda wis a sapper in the RE in WW1, aye richt up at the
front line. Gin he wis a jyner, he felt it wis the richt chyce tae
volunteer… aged 23, aready wi twa o a faimly. He wis wounded
three times, wi the affa sairious last time described in the poem,
faan he wis patched up tae convalesce in Ballochmyle Hospital
near Ayr. My grunnie telt me how she an their twa dochters,
baith unner three eer auld, jist upped an traiveled fae Dyce
tae Ayr, tae be wi him. He wis sent back tae the front… but
survived. An my ain mither wis born in 1920, a year efter he
wis demobbed an finally hame.

Sheila Templeton

TRIBES

Occupied by the programme aboot the tribes
fa hiv lived side-bi-side for generations,
ah sit mystified by fit unlocks the key
so that simultaneously they turn
on neebours an childhood freens alike,
fan a knock at the door confronts me
wi a neebour ah'd raither ignore.
Though somehow he aye manages
tae inflict a sense that he is iver present.
His shaven heid protrudin neckless fae
its fitba tap that under the strain barely
conceals the measure that lurks aneth.
He has a face that turns somethin in me
an ah try in vain tae focus on fit he's sayin
an nae the cheese lodged atween his teeth,
as he asks tae borrae a pint o milk
an in the next livid braith says
his ex, fa left three years ago
(ah ken its cause he used tae beat her
an the kids) is movin in wi his breether
fa hisnae spoken tae him since.
Ah canna come up wi naethin better tae say
than, *aat's a bit close tae hame.*
It maks me wunner if there's a God aifter aa.
But then if there is, fit purpose
dis it serve tae hiv him on this Earth?
Mebbe it's a test tae see foo much it taks
for a pacifist tae crack an wrap
the little rope ah gie him roon his neck
till his een bulge an his tongue turns black.
Mebbe it'll be the next time he laughs
fan ma nine-year-aul braks his erm
faain fae a tree, or the next time
he caas him a little arsehole for celebratin
his team scorin a goal.

Lesley Benzie

LEEVIN ROOM

(Fae a BBC news report in Rafah, Gaza, 2009, fan the reporter
spent aa nicht in a basement wi shelterin faimlies.)

A chiel is dauncin at 3am doon in the clorty founs.
Nae for joy. He's deen, foonert, een reed-rimmed
near gyte – thro lack o sleep, wiks oan eynd
o sklytin steens, hale hooses tummlet doon
exploshuns shatterin howp, the wershness o kennin
that Israeli tanks are weerin sae near.

Yet aye he daunces for his bairn, his dochter.
She needs tae sleep. They aa need tae sleep.
Sae he daunces, this faither, this citizen o Gaza
mirky-moo'd, smilin at his quine, makkin daft faces
breathin luve inta a space full o hert-sairs an fear
mindin us exackly the wye that war is vrocht
amang the bairnies, the forfochen, the sakeless
– in brukken hooses, the eence leevin rooms.

Sheila Templeton

GEOGRAPHIC TONGUE NUMMER 2

(Between 1-2% of the population have a geographic tongue. Typically there are red patches on the surface of the tongue with an irregular outline that make the tongue look as if a map has been drawn on it, hence the name 'geographic tongue'. In most cases the red areas are surrounded by a white border.)

Fin I wis wee, I sooked in Doric
wi ma reg'lar bottle o milk
Ma geographic tongue
Pyntit North East, the Northern hemisphere
Same latitude as Aalborg, Denmark
Varberg in Sweden

Ma tongue didnae fork like a snake's
Till I stertit the skweel

Frae thon day on
Ilkie wird hid a doppelgänger
An evil twin.

Fin Daith cams, as He will,
I winner fit he'll say?
Fin he wags his finger
Beckonin me tae the void
Will he invite me in Inglis or Doric
Tae takk ma place wi ma deid
Tae lay ma heid upon ma yirdy bowster?

Till then, I'll bide true tae ma tongue
Keepin ma compass steady,
Bidin seelent.

Sheena Blackhall

PIPER GEORGE FINDLATER: HERO O DARGAI

Faa were ye, George Frederick Findlater?
Jist a loon, Mary's loon, fee'd at fowerteen year auld
a halflin daein a man's darg. Mind foo she priggit sair
wi ye nae tae gyang as a sodger – jist saxteen?
– but naethin wid serve till ye'd taen the shullin.

Music daft, ye lairnt the muckle pipes sae weel
it wisna lang afore ye were regimental piper
an oan the boat tae India – the Siege o Malakand
a near miss – heel o yer buit blawn aff bi a chancy shot.

Fit were ye thinkin, as ye blew yer lungs oot –
aye, *The Haughs o Cromdale*, nae *The Cock o the North*
fae that splintered chanter? Fit wis gaan thro yer myn
as ye clyted doon oan that gizzent grun,
yer back agin a handy steen, white puttees stained wi bleed?

I doot if ye back-speired fit ye were daein, fechtin
the Pathan oan their ain frontier. An I'm siccar
ye hidna the slichtest noshun o the Victoria Cross,
nor meetin the Queen, nor the sangs an poems
eyven ile pentins; the mairrage proposals fae strangers,
stramashes wi government ower music hall stage glory.

Ye couldna jalouse, that fower generations oan,
ye'd be mairchin aroon the tap heeders o comics
The Rover, Wizard, Hotspur, Boys Own Adventures, yer phizog
plaistered oan cigarette cards, ma faither's hero
He's oor cousin – he won the VC! An ye were a handsome chiel.
Nae wunner the quines ran efter ye. I see ma ain brither
yet, in yer face – the Findlater chik-banes, shaddaed deep-set een.

But sumthin ye did ken, fit ye did mak siccar
wis that ye ended yer days unner the big skies o Buchan
faar ye'd stairted – fairmin that blaik grun, content, prood eyven,
tae mairch Sundays an Holy Days. Pipe Major o Turra Pipe band.

Piper George Findlater, who won the Victoria Cross at the Heights of Dargai 1897, for continuing to play his bagpipes after he was severely wounded, to encourage the Gordon Highlanders to take the ridge – was my distant cousin.

Sheila Templeton

THE WEATHER FORECAST

A hurricane's blootered Dunoon!
Ilkie reeftap blew aff o the toon!
They flew past Big Ben at a quarter tae ten,
Wi a wife in an auld flannel goon!

A monsoon's brocht chaos tae Ayr.
A doonpish at a fitbaa match there,
Washed the goalie, the baa, and the players anna
Like wee boaties, awa tae Turlair.

A blizzard as coorse as a vice,
His turned hauf o Lumphanan tae ice.
Ye can skyte throw the shire, like a penguin on fire,
An reach Russia, withoot blinkin twice.

An earthquake his shook Aiberdeen.
Marischal College is noo in the Green.
Three quarters o Torry fell doon Rubislaw Quarry,
And Northfield his flitted tae Skene.

A heatwave his frizzled Braemar.
Aa the towrists hae meltit like tar.
The troot in the burn, hae bin fried tae a turn,
There's fish suppers frae Dess tae Cromar.

The weather cock jetted tae Spain.
Says he'll nae be returnin again.
This terrible weather has broken each feather
And frozen the frills o his caimb.

Snaa, smirr, on-dings mochy an oorie
We thole, forbyes drucht hett an stoorie
Sae, gin ye ging oot, takk yer waukin buits stoot
Yer wellies, bikini, an toorie.

Sheena Blackhall

GRUNNIE

I mind oan yer ankles
sma, nait in thick lisle stockings
skelpin up an doon the road
the paper shop, the libry, Lows the grocer.

Ye eence telt me – fan Lil wis in the hospital
the isolation place for TB – you waaked
the fower mile there – an back, ivery day.
An she wis second-youngest o yer five.

                              You lairnt me
tae daunce, table pushed weel back
birlin me aboot the kitchen
Heelan Schottische, airms ticht,
sideboard dirlin.

Katie Bairdie hud a coo, blaik an fite aboot the moo.
Wisn't that a dandy coo? Daunce Katie Bairdie!

                              An you, now
crouched shrunken oan the brass kindlin box bi the bleeze,
drinkin tea wi milk in it.

                              You o the weak blaik tea
A bone-cheena cup, exack quarter-spoon o sugar.

She disna mind noo, fit we gie her.

But ye did. Ye did.

She's fine. Dinna fash yersel.

I wish yer een telt the same story.

Sheila Templeton

SREBRENICA

She looks at her people
waitin
in the camp,
that is nae ony safer
than the area they'd jist fled,
an in view o the options
decides tae hing hersel
bi the neck
till she's deid,
raither than let onybody else
decide foo she'll die,

while fae a position
on the sidelines
we record
her final solution.

Lesley Benzie

RIPENIN

In green rodden time
I winted tae be you;
scarted ma knee
oan reuch scabbit bark
stappit ma pooches
wi hard berries, prayin
ye'd run oot o supplies
an need mine.

You made planes wi balsa
an skirie coloured tissue
wheeched a sherp propeller
makkin contact wi the win;

I held the hint o the twine
seely tae chitter, ice-raivelt
fyle ye ignored me.

Aenoo, rodden brinches
hing hunnerwechted, dairk
ripened, riddy for pickin;
saft crame intimmers, nae eese
for the games we played lang syne.

An I'm ower thrang noo
tae help flee yer plane,
thrang rubbin bricht berries
sleely stainin ma lips
tae silk in the mune-licht

waitin for you tae land.

Sheila Templeton

DIVORCED FAE REALITY

She asked her ex-husband fit wye,

> Can ye nivver tell the kids
> straicht
> fan ye can tak them for a wikkend
> or a wikk durin the holidays?
> Instead ye aye say,

>> *ah'll hae tae look at ma diary*
>> *an phone ye back.*

>>> The kids, they wait
>>> an wait
>>> then call him again.

He answered in his defence,

> *If you'd nivver left*
> *the kids wad see me plenty.*

> Auch stop peddlin the same auld excuse
> aifter eicht years ah'm nae buyin.

>> *Bit you ken ah canna*
>> *tak responsibility for kids.*

Fit,
is it genetic?
Or worse still contagious?
Well, we better hope ah dinna catch it,
cause that on tap ae bein a mad bitch
could be serious.

Lesley Benzie

PHEELOSOPHIC FUTTERATS

Twa sleekit futterats in a dyke
Commenced a conversation,
On fit Reality sud mean
The dyke, their illustration.

'A dyke's a hideyhole', quo they,
'Far we may hide frae sicht.
A camouflage… a masquerade…
A screen. A cloak that's heiven-vrocht
Oor prey tae nab bi nicht.'

'Yer wrang,' a moosie pypit up,
This steeny booer's ma hame.
A bield, tae hoose ma furry clan,
The littlins o ma wame.'

'Gw'a' (The corbie gied a skreich)
'A dyke is bit a reest
A perch, tae park ma feathers on
Fin the pech leaves ma breist.'

A fairmer, stottin frae a howf,
Aneth the sickle meen,
His spayver lowsed, an jubilantly
Stoored agin the steen.

This stopped the futterats learned claik,
Their pheelosophic leanins…
Twa hummlit, drookit, wycer breets
The truth, his mony meanins.

Sheena Blackhall

VILOMAH

(*Vilomah*: sanskrit. 'Against a natural order'. Often used to describe the death of a child.)

Months eftir she wis yirdit, thon snarl
of a gaitherin, jist close faimly
aa they were allowed in lockdoon

lang eftir the doul o pickin
the sma plaque tae be eekit oan,
matchin the dairk granite leam
o the bigger lair-steen – nae room
there for a grandochter's nem

he phoned ae nicht

I wint oot i day an bocht tulips
skirie reid an yalla. She likit them.
I hud tae trim the eynds, mak them fit
– an buy a spleet new vase
the auld een wis roosty. Did ye ken
there's speshul shops fir stuff lik aat?
An I mindit tae tak a bottle o watter
– the kirkyaird tap's nae wirkin.

I think they lookit okay.

As if onything noo cud iver be okay.

Sheila Templeton

SHAKKIN THE SNAA GLOBE IN MA HARNS

(Inspired by 'Life from Inside a Fenway Park Snow Globe', by
Cameron Wilson (*Poetry Scotland*))

Bang! Yer aff! Life's cannon has bin fired
Oot o the antechaumer o skweel an parent time

The loch o kennin growes. Is thon pyoke a bomb?
I hae as mony fauts as a cabbage, pykit bi snails

It is bairnhood, I'm plunkt on the san tae play
Spindift on driftwid surfs ontae the beach
I am weirin a gyad-sake dress o polka dots

I niver maistered ma mandolin
Like a gowdfish in a bowl, ae chord repeats

I could bide in a librar wi buiks fur friens
Blythe's a flooer cercled bi butterflees

Fit price a kiss? As deidly as a wirm
That slidders like disappyntment intae the yird

A coffee brod sits stinch, an unhaley altar
The lamb o conversation awytes the knife
I should be wyed in the scales o wirth
An cam up wintin

Ma corps is as stiff as an auld linoleum cutter
Ma lips are icicles on a cauld crevasse
Divergent thocht's the curse o ma furlin harns

Dae alligators really bide in stanks
Chokin the unnergrun arteries o toons?
Nesty as roadblocks, or is thon aa styte?

The hurtit ocean skreichs like a roosty fridge
A brukken dallie floats in a froth o scum

In the gairden a Jenny wren wyves a wattergaw
An ongaun myndin o guilt tae the wytin Tom
Nae character witness clears him o birdie slauchter

I kent a chiel kept a pet gun as a keepsake
He ett wid garlic, bit didna believe in feys
His claesline wis pegged wi TA camouflage dress

Since fan did a letterbox becam a chute fur spam?
Grinnin geriatrics promotin wills
An landscape gairdenin centres sellin gnomes?

The ile walls hae stoppit gushin oot at sea
Chiels in weet suits are aa wippit up in plastic

Sune the snaa that furls roon in ma heid
Will sattle, turn tae smush, ma harns, deid

Sheena Blackhall

IV

…Bit dinna forget tae bide clean,
Thon's far the future lies, hyne up abune.

VIEW O AIBERDEEN

(Inspired by *View of Aberdeen* – William Mosman)

Nae multistoreys, traffic jams in sicht!
An age o brandy, shelts, sedans, an tea
Grey toon, green kintra lappin roon her sides
An skies that kent nae ither wings bit birds.
A pygmy placie, weety-cauld an stinch,
win-cairdit bi the soochin o the sea.
Braid brush strokes smeeth the watter flat's a bap.
Twa Jacobite rebellions didna mar
This peinter's idyll, nur the orra trade
In human flesh, the slavers' currency.
Onchancy times – yet aa's as smeeth as glaiss
Staun still, breath deep, ye near can smell the girse
Cam wachtin fae the pictur in a yoam.
Weel-seen the artist learned his darg in Rome.

The centuries hae grown… sae has the toon
Twa univiersities noo weir the goun
O academe. Nae whalin noo, bit ile.
Langsyne the Tolbooth nocht anither jyle.
In maisonette, bedsit, wee upstairs flat
Tenement, hostel, hospital or Hame,
In Tilly, Seaton, Cults or Desswid Place
The view o this braif toon, is't aa the same?
A full glaiss, or a teem? Throwe ithers' een
In mosque, kirk, howf, fit view o Aiberdeen?

Sheena Blackhall

IN THE NAME O THE VIRUS

Ah go for ma allotted daily rin
occasionally brakkin Government rules
bi remainin ootside for langer than an oor,
gazin at fields luminous wi rapeseed
an hedgerows thick wi gorse flooers
as yalla as the buttercups
ah used tae haud aneth each
o ma bairn's chin's, tellin them,
ye are the sunrise in ma hairt.

An fan the sun sets an nichttime fears arise
ah'd swear ah'd waak upon it's burnin surface
tae keep them safe fae hairm.

Wi that in mind we're noo separated
an survivin in social isolation,

while hypnotic flag-wavin an weekly
haun-clappin for NHS workers
covers the UK Government dippin the purse
o the institution those workers serve an
the soond o backslappin billionaires
fae baith here an across the pond,

far oor leader taks a leaf oot ae his book
o unrepentant fictions
in which the president aye surpasses himsel
toutin as an accomplishment, rankin
amon the top ten
virus death rates in the warld.

Meanwhile, ah go for ma allotted daily rin
occasionally brakkin Government rules
bi remainin ootside for langer than an oor,
gazin at fields luminous wi rapeseed
an hedgerows thick wi gorse flooers
as yalla as the buttercups
ah used tae haud aneth each

o ma bairn's chin's, tellin them,
ye are the sunrise in ma hairt,

that is heavy wi missin them.

Lesley Benzie

THE CHAT SHOW HOST SPIKKS
TAE THE PROVERBIAL CORBIE

Foo are ye sae partial tae ettin een?
Tykes bark as they are bred

Are ye nae sorry tae slay a lammie?
Daith speirs nae awkward questions

Yer aye the first tae feed aff ony roadkill…
There's naethin got frae delay
Bit dirt an lang nails

Ye've nae close friens I jelouse
Friens are like fiddle strings
They maunna be screwed ower ticht

Yer voice is verra roch
Gin ye've gall in yer mou
Ye canna spit hinney

Dis etten orrals an intimmers nae scunner ye?
The proodest nettle growes on a midden

Thank ye maister corbie, fur allowin this veesit
I hope I hinna kept ye frae yer busy schedule
Veesitors are like fish kept ower lang they stink

Sheena Blackhall

CAMBODIAN INSTAGRAM MOMENTS

Cambodian toddlers
wi dreamy nut broon flesh,
plumpcious as a puppy's paw pads
on the back o hauns an taps o feet,
perfect wee Buddha bellies an chiks
that pilla roon almond een
fu o pure fite orchid smiles, an rosebud mooths
fu o innocent hellos,
play freely on Koh Tui beach, naked
an at ane wi the san that cakes their taes
till they feel like the graze o a kittlin's tongue,
afore the sea washes them clean.

Nearby, the toddlers parents
are bent tae their purpose,
as tourists bypass strikin up strategic poses, takkin
digital snaps, wi the toddlers as their backdrap,
tae post tae their instagram moments,
withoot iver stoppin tae ask.

Lesley Benzie

THE MIDDEN

(Inspired by a poem written & performed at the Stanza poetry
festival by Larry Butler & Ratnadeva.)

Ma harns are a midden, a steer o the orra an clarty,
The harrigals o days, the intimmers o aff cast thochts
Aathin hotters awa thegither like a soss in the midden
Fermentin like the sypins o dwaums

Mebbe ooto the sharn o dubby times
A poem'll raxx its heid, like a wee daff ooto the orrals?

Sheena Blackhall

TOURISTS AT THE ALHAMBRA, GRANADA

Granada, named for the pomegranate,
each wi its six hunner an thirteen ruby fruits.
Granada, far the streets ran reid seen aifter
Archbishop Ximenes de Cisneros instructed the burnin
o precious theological, medical an scientific books.

The Alhambra's minaret lang gone, muezzin silenced.
The anely evidence o 700 hunner years o benign Moorish rule,
for the throng o smilin summer tourists, noo lives on in
the teal an cerulean blue mosaics an Islamic calligraphy.

We waak through the Palacios de los Leones
an Comares an on tae its large courtyard wi a pool,
noo kent as the Court o the Myrtles.

Even in the throng, ah feel surroonded bi mournful ghosts.
Ah jouk through moorish archwyes intae the shadows
o the covered patio, cairryin oor three-year-aul loon,
tae escape the wecht o yer judgment beatin doon on me
like the savage blaze o Spanish sun on ma back.

Lesley Benzie

EXERCISE FROM THE OULIPO MOVEMENT, USING THE LIPOGRAM METHOD

(The Lipogram method involves excluding a consonant or a vowel from an entire work of writing. In the following poems only one vowel is allowed.)

DNA
DNA, ma daddy's plasma
Data o ma clan, ma pa's
Alpha da, ach ah can mynd
Pass't on asthma, a back-caa

Feeders
Ten wee cheepers, help themsels
Beech seeds feed teem belly needs
Screech, precedes sweet cheepers' creep
Squeeze reid berry greedy feeds

Birds
Fin ilky twig sits big wi bird
Ilkie wing is kingly flittrin
Bills singin, pipin, chirpin, fill
Licht wins wi bricht trills twittrin
Zippin in ivy, sikkin wirms
Hidin ilk bird's trig biggin

Jocky
Jocky, boozy, jowly
Ooto foxy shorts
Yo ho ho, bocht spotty
Socks Tom Ford oo vrocht

Scruffy
Ugly scruffy puppy
Grubs up fuzzy junk
Dubs, fugs, bugs, bum-slurry
Scruffy gurly lump

Sheena Blackhall

KOH RONG ECO WARRIORS – 1

The speed 'ferry' is mair akin
tae a gless bottomed tourist day tripper.
Its white canopy shadin rows o passengers,
fae the thirty-plus Cambodian sun,
thigh-skin bondin wi its plastic seats.

We crest the hypnotic opalescent turquoise waves
fae Sihanoukville tae Koh Rong Island,
wi a sultry breeze whisperin reassurance
tae the few o us onboard aul enough
tae be parents or worse
tae the boho hipsters perched
on rucksacks crowdin the deck.

Ae couple manoeuvre up front
tae catch ivry last ray. He wi yirdit-blonde
Mohawk dreads twisted atap his heid,
a soupçon o gowden facial hair
an burnished six-pack risin phoenix-like
aboon his free-rangin shorts.

She wi her itsy-bitsy recycled plastic bikini,
a tattooed planet Earth, traversin
her left-side, fae waist tae the revealed
pale curve o her breist.
Aneth the frayed hem o teeny shorts,
she works the tan on her sculpted half moons
for this evenin's 'Full Moon' pairty.

As we approach the skinklin mica beach
fringed bi ancient coconut palms, her tote bag says
*we've got to get ourselves back to the garden.**

Once landed on the widden pier we pass
hastily erected bars, cafes, hotels an chalets
an beyond intae the island's jungle interior,
we find oor stilted treehoose.

Aifter a nicht o throbbin insomnia,
    ah traipse a 6am beach
strewn wi a few die-hard revellers,
an ah spy the couple fae the ferry on a veranda,
cocooned thegither in a batik hammock,
while sleepy locals pick up the plastic detritus
    o bottles, tak awa pyokes,
beer-pack-rings an wrappers.

*Writer Mitchell, Joni: Woodstock 1969. Recorded by Joni Mitchell, 1970, Hollywood, California, USA: Reprise Records, 1970.

Lesley Benzie

THE SULPHUR-CRESTED COCKATOO AN YOU

As we're tuckin intae oor bucket ae prawns an salad,
washed doon wi cool craft beers at Queensland's
Airlie Beach, while waitin for oor boat tae tak us tae
the Whitsunday Islands on the Great Barrier Reef,
a Sulphur-Crested Cockatoo perches
on the restaurant's terrace railin.

We're owerlookin netters inconceivable
turquoise blue o the coral sea
while the cockatoo eyes yer plate
then eyes you.

It sits serene as if tae mak itsel invisible
bit sensin that's impossible
it begins tae bob its heid in time
tae the backgroond muzak.

Its squawk is loud an shrill in contrast
tae yer ain husky base tone.
Even as a bairn fowk commented on
foo sic a deep sonorous soond
could emanate fae sic a wee loon,
fa used tae ask me wi worried een,
fan yer hauns a feet wad grow as big
as aa the ither loons roon aboot?

The cockatoo moves closer in
an extends its dazzlin yalla crest,
till yer een tae een, an yer quiff o curls
are a mirror tae its human equivalent.

Although, you're noo a strappin man fu-grown
yer wide-moothed laugh made ye dinky bairn again,
fan the feathers twitched around its grey-black beak
in an approximation o a grin as chicky as yer ain.

Lesley Benzie

VI'S LIBRY

Wis up a steep widden stair abeen the haa
a coal fire – tended, lik the shelves o books
– bi Miss Violet Donald, skirts hysted
for maximum toastin at the bleeze,
saicret marlin o 20 denier thighs,
deep in parley wi the inner circle –
Zander Smith shinin pink in enforced sobriety,
flanked bi Crustie Rae, hodgin discreetly
in triggit-oot troosers – fyles Jimmy Hutcheon
if he wis waakened. I sought nocht
fae them – which wis jist as weel
gin Junior Members were allowed
jist een book at a time, niver mind
actual collogue wi ony o them.

Ma hert in ony case ower teen up wi Emily
driftin aroon her beloved New Moon
or wi feisty reid-haired Anne o Green Gables
– fyles sabbin sair wi Jo up in her laft,
or the Dog Crusoe, ably assisted bi masel
as we rescued unco puir sowels, hale faimlies
oot fae ragin jeelit Newfoundland seas –
nae tae menshun bein tapsalteerie wi Biggles,
helmet an goggles ticht, fyle we blastit
the Reed Baron clean oot o the sky
wi weel aimed bursts o tracer-fire.

Na. Na. Aa I iver socht fae Vi wis the alchemy
the glamourie o her lang crimson nails slidin
the thin strip o cairdboard fae ma nicht's chyce
inta that byordnar traisure, prize abeen rubies
– ma libry caird.

Sheila Templeton

THE MOPEDS O SIEM REAP

Arrivin in Siem Reap we took a Tuk-Tuk.
The Minotaur o the vehicle warld,
half Moped, half canopied rickshaw o auld.
Fae the airport we dirled alang a wide tarmac boulevard
o internationally owned casinos an hotels,
decorated wi glitzy Cambodian emblems
o Gautama Buddha an Angkor Wat.

Like the Tuk Tuk it's a tale o two pairts.
On ae hand, the open air traivel immerses
us in the Far-Eastern vibe an provides for breezy
respite fae the itherwise swelterin heat.
On the ither, yer choked wi the blue fumes
fae the hornet swarm o mopeds, nose tae tail
as far as yer een can see, noisin up the atmosphere,
till ye can barely hear yersel think
or even scream as death defyin manoeuvres
mak roulette wheels o birlin junctions.

On ae moped, there's a faimily o five on the back,
only the faither wearin a helmet an the mither
ridin sidesaddle, a naked baby on her lap
an twa ither bairns sandwiched in atween.
They undercut a guy wi a chest o drawers
tied tae his at a jaunty angle, fa has tae swerve
afore he collides wi a street food truck,
ingeniously made fae bits o stuff
that ither fowk hiv thrown awa.

It squats in atween the air conditioned
monoliths, owned by transnational executives
traivellin in their air conditioned cars
fa hiv taen ower fae far their colonial
forefaithers left aff.

The street-food vendors eek oot an existence
on dusty street corners, under tattered Coca-cola parasols
wi faded promises o the 'real thing'.

Alongside them, are the subsistence fairmers
fa bundle bales o fruit an veggies three sacks high,
saggin ower their moped's weary back.

Atween the hurly burley an ma finngers
ower ma terrified een, ah remember history teaches
that aa empires topple in the end.

Lesley Benzie

BELLA CALEDONIA, 50 MILES UP

Scaffie day. I wis pittin oot the bins
Green fur girse cuttins, blaik fur bairns hippens etc
Fite pyoke fur papers, a green guffin boxie fur compost
Syne I tuik tae thinkin 50 miles up…

Furlin ower the heid o oor Bella Caledonia,
Spent rocket stages
Auld satellites,
Hauf a million bitties o sottar
Aa speedin (nae hidden cameras) at17,000 mph
1,000 satellites that dinna wirk
2,600 satellites that DAE wirk (an risin)
Aa this clanjamphrey o orrals
Tae aid navigation, communication,
Weather forecastin, militar espionage
Weaponary, exploration fur science, agriculture
Alang wi a glove tint bi astronaut Ed White
On the first USA space wauk

A perr o pliers
A briefcase sized tool boxie
A teethbrush
A spatula drappit bi Piers Sellers
Spent rockets an telescopes
Nuts, bolts,
Dauds o aluminium slag

Pyokes o soss haived oot bi cosmonauts
Birlin roon the cosmic highwye
Wi Buddhist Bodhisattvas
Arkangels, cherubim, seraphim
Thor, Zeus, och ma heid fair stoons
Wi the thocht o't… shawin fariver
Man gyangs, he aye creates a sotter

Explore, bi aa means.
Bit dinna forget tae bide clean,
Thon's far the future lies, hyne up abune

Sheena Blackhall

FEMININE FACES O THE FAR RIGHT

They hiv become the online, on trend
feminine faces o the far richt

photae shoot ready
for ivry media platform
this bevy o beauties,
heiled by white supremacists,
are the poster quines
for neo-nazis
tae fuck themselves aff
on.

Akin tae the gas filled creatures
livin unseen in the depths
o the ocean fleer,
their ideas will explode
aa we haud dear
as they resurface again

their touch-paper lit
by messianic leaders
bendin story lines tae cover
their nations wi glory

while their policies bleed them dry

an the moist pinted lips
o their cheerleaders
appeal tae women
scared shitless
bi the hype o imported sexual violence

fae which white women's bodies
need safeguarded
for the purpose o a strong white State

dressin tae kill
they don eyelashes

as fake as populist news
an narra their sights till they target for blame
only men fae foreign climes
the fine black lines flutterin across their een
like the prison bars
o their minds

claimin their richt tae freedom o speech
while the counterculture
spawnin
their socht aifter media followers
an sense o belongin
runs counterclockwise tae the richts
that generations o women fought for

while they fly their beautiful
in the face o reality
far the vast majority o violence against weemen
is perpetrated by somebody they ken
closer tae hame.

Lesley Benzie

THE TIME TRAIVELLER'S CONVENTION

Bring a pairtner tae the Ceilidh
Dress informal, the invite stated
At the time traivellers' convention.

Mary Queen o Scots arrived hersel
Signed up fur speed-datin.
Said she wis a romantic,
Cud lose her heid ower the richt chiel.

The sheik in the tartan troosers
Turned oot tae be Rabbie Burns
Wi a bevy o beauties he'd gaithered
On his traivels.

John Knox tuik charge o the raffle
The kirk being eesed tae collectin
Naebody socht him fur a lady's choice
.

Lord Byron niver missed a single daunce
In the Gay Gordons. He wis last tae leave.

The Loch Ness Monster, playin watter music
Last seen wis reelin roon bi Ailsa Crag
Wi thirteen kelpies and a Shetlan silkie.
Feedback suggests they'll aa be back neist year.

Sheena Blackhall

HIS FIRST TASTE O SNAA

I try tae flick a suppie
aff a wechty larick brinch
bit it's a muckle big plump,
fite an cauld, richt ower his
waarm dumfoonert sakeless face.

He isna vexed, disna greet
though his een swall tae saucers
as I dicht awa wi muckle virr.

Fit dis it feel lik, this first jeelit fite
melt in his mou? Snaa tastes
o North, the flicherin merry dancers
a sherp airt, aa spleet-new.

He laachs oot lood fan I wheech
muckle cloods o snaa powther
aff the dairk rhodie leaves, aff the whins
– sma fizzy exploshuns fillin his sicht
laachs an laachs, mirky-mou

at bein new, at jist bein ootside
– this bairn aready spikkin tae the lift
listenin tae trees, listenin tae the seelence
o fedder flakes landin oan his skin.

Sheila Templeton

HOOSES

Flichterin oot an in their wee roon door
Like fish lowpin in throwe a porthole,
Birdies enter their bird box

The intimmer is derk an secret
Safe frae the cleuks o cats.

Smaa baas o feathers
Showd on the tree like fir cones
Licht as fluff
Their wings raxx wide as fans
Fin they ride on the back o the wins

Their gorblies coorie doon
In their mossy nest

In Thailand, speerit hooses
Hae unseen tenants
Inveesible ancestors wheech oot an inno
Their open yett, their pagoda reefed biggin
Incense sweetens their days
Flooers, maet an prayers
Ghaists are the ancestors
Fas fitsteps we step inno

Sheena Blackhall

FARE THEE WEEL AN HELLO STRANGER

Pairt 1

Jist afore the pandemic, durin anither
o those circular conversations far his version
o reality wis sae at odds wi mine, it wis like
bein sucked intae a vortex sae strang that
ah fragmented an became a stranger tae masel.

Lockdoon, fan it came, wis an existence
far moments tickin slowly by at hame
became an echo chamber for the dissonance
that lay within its waas.

Sae ah cloaked ma loneliness in silence
an tholed anither o life's lessons,
that ye can spend several years wi somebody
an ken them even less at the hinner end
than ye dae at the beginnin.

Pairt 2

Oor trachles, an inevitable partin,
wis as naethin tae the low moan ae sorrow
in the cathedral chambers o ma hairt
at hivin tae live athoot contact wi ma kids.

Despite aa their adultness, they tugged
at the umbilicus at the centre o ma bein
an ah could recaa like it wis yestreen
the spill an smell o iron in ma bleed,
the saaty sweat an hormonal birth pangs
that rang their arrival in ma life
foriver aifter changed.
Fan a finally hugged each ane bi ane,
ah could've crushed their banes an sniffed
their hair an skin till ah wis quite obscene.

Frequentin live poetry events again
has been like milk an honey for ma soul

especially fan combined wi live music an singin,
sung at perfect pitch. Minor chords gaurin
me shed a tear an moments later a major beat
makkin a clarsach o ma backbanes.
Ah wad've got up tae dunce an nae cared
fa wis gawkin, at an auld wifie makkin
a richt ticket o hersel, had there nae been
some restrictions still in place.

An seein aa ma freens an faimily again
has brocht laughs and smiles that mak
ma face sair an ma body ache as if
ah'd played till extra time an then
been lifted high aboon their shooders
like ah had scored the winnin goal.
An sure enough, ah really think ah hiv
for there's nae greater gift than tae hae fowk
in ma life fa mak ma feel like ah've come hame
an that eence again, ah'm nae a stranger tae masel.

Lesley Benzie

SIR WALTER SCOTT

I wud fain hae pentit ye in a roch licht,
scunnert at aa yer on-cairry, that biggin up
o tartan lore, sic a fause freen tae Scotland's story,
the fantoush moniments erected in yer nem
a muckle gryte Tory aa yer days –
an fit were ye thinkin, pittin the keeng intae pink hose?

But ach, Wattie Scott, 1st Baronet, ah canna fin it
in ma hert tae tak a richt ill-teen at ye. I see ye
jist a loonickie, hyterin roon Edinburgh's wynds,
causey-stanes jarrin that withered shank
contermit tae waak lik onie ither laddie

– an waak ye did, full o that guid Borders' air
far ye sookit up sic glamourie, sic tales
o Reiver derring-do, lamgamachies o hert-sairs,
richteous fecht, thrang wi aathing ye held dear.

Ye gied us scrievin the lik the warld hud never seen
peyin heed tae ordinar fowk, as weel as keengs an prences.

Aye an bairnies kittle up yet at Rob Roy Macgregor
hale an fere, loupin mischancy athort his Perthshire heather,
at Wilfred of Ivanhoe, mairryin his richtfu bride, Rowena.
An yer first luve aye yer poesie, bricht wirds, their green sap
niver gizzent; vyce aye the chunner o a tummlin burn.

Yer wirds vrutten noo in stane on Holyrood's wa.

I'm gled o that. Gled ye're there.

Sheila Templeton

RWANDAN MOTHER

Connected only wi daith.
Unable tae feel
or see life
an believe in its existence.
Her dulled gaze
fixed inside
five bottomless dark holes,
that loved an fed their souls
longin
she laboured wi them
for birth
an even aifter
the spaces remained inside her
for each tae commune their uniqueness,
athoot words
impossible tae express
their bein
murdered.
Noo
there is only impty places
far she waits
dyin
tae be wi them.

Lesley Benzie

PARRITCH

Samuel Johnson: 'Oats, a grain, which in England is generally
given to horses, but in Scotland supports the people'.

Isna, is niver, biled up wi milk
or sugar, disna hae honey, berries,
kirned-up nuts, thick broon demerara
sklyted oan tap; nor almond, soy
or ony ither vegetable watter.
An for a certainty, nae Oat Milk –
fit's the sinse in eatin sumthin
droont in mair o its ain bree?

Parritch is made bi bilin watter
 – fan it's at a fine birl, fung in
a hanfae oatmeal, steerin awa
bringin them back tae a steady hotter.
Gie them a pucklie minutes, syne
in wi a nippockie o saut an keep steerin.

Thick or thin? The trick is tae turn aff the heat
fan they're aye thin luikin, sae they'll thicken
oan the plate. Set oot a bowlie o cauld cream
dip speen inta het parritch, syne inta cream
 – ilka speenfae sheer hivven.

Tak tent it's *they*.
Parritch is aye plural. It's respeck.

Oats kep yer grunnie an her grunnie
an that grunnie's grunnie fae stervation –
nae sae chancy, oor freens athort the Irish Sea
their tatties connacht tae blaik hertscaad gloor.

Sheila Templeton

HUNT THE GOWK DAY, 2021

April Fools Day was traditionally called Hunt the Gowk Day in Scotland .The name comes from the saying 'Hunt the Gowk' which translates from Scots as 'hunt for the cuckoo' or 'foolish person'. In Gaelic the alternative translation would be 'La na Gocaireachd' which means 'gowking day' or 'La Ruith na Cuthaige' which means 'the day of running the cuckoo'. The traditional joke consisted of asking someone to deliver a sealed message that seeks help. The message in the letter reads 'Dinna lauch, dinna smile. Hunt the gowk anither mile'.

Hunt the Gowk Day in the Duthie Park
Like a day oot at Crufts, the girse is heezin wi tykes
Dorgies, Aluskies, Pomskies
Bogles, Cheagles, Pitskies
Pugglies, Gollies an Chuggs
Schnoodles, Whoodles & Bugga
Ruggin their ainers aroon frae trees tae dowps
Heinz 57 variety o dugs
Wi their mongrel keepers
Bruisers, tattooed wi dirks an snakes an hairts
Auld weemen wi rotten teeth that guff like farts

Littlins wummle like penguins on shoogly shanks
Hippins, hingin wi pee
Like boozers efter a skinfu, hauf sweejee

Paunchy plodders traipse ahin clarty buggies
Beer bellied cheils, in bunnets wi furry luggies

Sonsie quines in lycra an leggins that cling
Knock-kneed, pirn taed, fat hoched,
Their fingers aa covered in bling

Ravers an elderly hippies an misbehavers
The queue creeps on like a snail
Fur lattes, ice cream an sannies
Grannies an bairns wi mous that full up wi slavers

Some hap their faces, tae stop the covid smittin
Ithers staun closer than stitches in auld wives' knittin

It's Hunt the Gowk Day, pliskies gae on fur oors
See the dugs pee on the signs, sayin watch the flooers

Sheena Blackhall

SANG AT HINNEREND

It wis a coorse day, an orra day
icy girse sypit unnerneath oor feet.

Twal o us, the lair opened, cooncil mannie hoverin
Anything at all you want to do or say is just fine
your ash in a plastic urn, inside a Tesco bag
aabody luikin at the grun.

A poem seemed a gweed thocht
Hamewith – the road that's never dreary
back where his heart is all the time.

But it wisna richt for you.

An a meenit's seelence. *Onybody got a watch?*
says sumbody, tryin tae lichten the load.

Sae monie things unsaid. Sae monie sangs
we hud nae hert tae sing.

We cud hiv telt o Sunday waaks, winnin up the hinmaist mile
lik pilgrims – tae mervel at the elephants scored in steen
– these Pictish beasties, safe ahint their iron bars. Or tales o
bogles
roon the watcher hut, secret windaes makkin siccar the deid bade safe;
ootbye the farrest dyke, liftin tatties for biggsie Howard
sniggerin at his pan-loaf posh.

Lang-geen days jinkin in an oot these freenly steens
their story o screeven names in lichen-gowd – faimly
– yet a warld awa fae us; distant then
as the wheelin peesies abeen oor heids.

An aye aneth the kirk-yaird
the lang sang, the sheughin siller
o the clair tummlin Don.

Sheila Templeton

INDEX OF POEMS

LESLEY BENZIE

Aneth the Stairs	62
Burnin Bush	81
Cambodian Instagram Moments	106
Chat Lines on Twitter	58
Club Cubana	79
Cop26 on Remembrance Sundi	77
Divorced fae Reality	95
Dothers Diggin for Gowd	15
Fare Thee Weel an Hello Stranger	123
Feminine Faces o the Far Right	118
Fessen in the Vernacular	38
Hame fae Skweel	47
History Lesson	68
In the Name o the Virus	103
Kissin	44
Koh Rong Eco Warriors – 1	110
Punk wi a Sma P	70
Rwandan Mother	126
Srebrenica	93
Still the Warld Turns	20
Sunset Song an The Terminators	18
Taught oor Lessons	51
The Divide	56
The Mopeds o Siem Reap	114
The Note	42
The Politics o Sex	74
The Prodigy	65
The Sulphur-crested Cockatoo an You	112
Tourists at the Alhambra, Grenada	108
Tribes	85

SHEENA BLACKHALL

A Doon an Oot	24
Bella Caledonia, 50 Miles Up	116
Dream o the Restless Bairnickie	66

Drumneachie   41
Eildritch   16
Exercise from the Oulipo Movement,
Using the Lipogram Method   109
Geographic Tongue Nummer 2   87
Hatches, Matches, Dispatches   64
Hooses   122
Hunt The Gowk Day, 2021   128
In the Glen Far I wis Young   28
Judgement o the Bandies   19
Junkie's Jewels   55
Lot's Wife   76
Monthlies   53
Pannanich Wells, Ballater   36
Parkin Lot Nummer 44   50
Pheelosophic Futterats   96
Puir Man's Jam   52
Shakkin the Snaa Globe in ma Harns   98
The Birdie   39
The Chat Show Host Spikks tae the Proverbial Corbie 105
The Chaumer   31
The Corpse Critiques the Kistin   59
The Midden   107
The Time Traiveller's Convention   120
The Weather Forecast   91
Variations on the Scottish Scone Eating Ceremony   26
View o Aiberdeen   102
Widdendreme o an Ashet   48
Ye Browster Wives   22

SHEILA TEMPLETON

At Fifeteen Wiks   57
Collogue wi Jenny Geddes 23rd July 1637   17
Contermashious   27
Cottar Wife   40
Disjaskit   78
Efterhin   45
First Meen o Januar   71
Grunnie   92

Hairst Meen	35
His First Taste o Snaa	121
Lairnin aboot Luve	66
Leevin Room	86
My Land	30
Nae Answer	61
News–Gizzent	54
Northsick	63
Oan Midsummer Eve	67
Parritch	127
Piper George Findlater: Hero o Dargai	89
Ripenin	94
Sang At Hunnerend	130
Seelence	14
Shorin up the Impossible	84
Sir Walter Scott	125
The Clyack Shafe	23
The Fechtin Dominie	83
This Morn	25
Times Chynge	49
Vilomah	97
Vi's Libry	113

SELECT GLOSSARY

aawye: everywhere
aboon: above
aigg: egg
aneth/ ablow: beneath/ below
antrin: occasional
ashet: plate
bealach: mountain pass
begrutten: tear-stained
beuch: bough, branch
blewart: bluebell
bosie: heart hug
breenge: rush forward
Bosker: wonder
bubblyjock: turkey
bumbaze: bewilder
camsteerie: perverse
cauf-grun: birth-place
clanjamphrey: a rabble
clyack: harvest end
collieshangie: row
connacht: destroyed
contermaschious: confrontational
cramasie: red
crawin: boasting
darg: work
daungers: dungarees
dawt: caress
devall: pause
dirled: vibrated
dool: woe
duddies: rags
dyods: gods
eesed/eissed: used
eeswal: usual
eildritch: unearthly
faniver: whenever
fantoush: grand/fancy
reel wissett: hairy wool
ferfochan: tired

fire-flauchts: bolts of lightning
founs: foundations/basement
freen: relative
fushachs: clumps
fushenless: lacking vigour
futterat: ferret
galluses: braces
garrons: ponies
gaur/in: make, making
gazunder: chamber pot
gizzened: dried up
gnaaves: gnaws
gowpenfae: as much as two
    cupped hands can hold
gowan: daisy
gowk: cuckoo. fool
gowpens: handfuls
gurlie: stormy
gyte: mad/crazy
harns: brains
harrigals: leavings
heilster-gowdie: head over heels
heughs: cliffs
hinnie-blobs: gooseberries
hippens: nappies
hottered: boiled
hyter: stumble
hyze: trick
intimmers; insides
jalouse: suspect
jeelit: icy
jouk: dodge
keckle: cackle
kimed-up: mixed up
kinlin: lighting
kittlet: excited
kneipit: pressed on
kythed: named
lamgamachie: rigmarole

leal: loyal
lift: sky
linglairy: long story
lirkit-up: folded up
loon: boy young man
loup: leap
lousin: finishing
lowp: jump
mangin: longing
mannies: men
meen/mune: moon
merrit: married
mirky: merry
mishanter: accident
mizzers: measures
moosebobs: spiders
moosewab; cobweb
mowdies: moles
mowser: moustache
munsies: knaves
neuk: corner
nieve: fist
nipockie: small piece
oonslocket: unrequited
orrals: refuse, waste
pammer: trip lightly
peesie-weeps: lapwings
pooch: pocket
priggit: pleaded
pyock, pyoke: small bag
quine: girl, woman
rakin: questing
ranegill: renegade
raxin: reaching
rickmatick: affair
roogs: pulls
saal: soul
saat-begrutten: tearstained
sakeless: innocent
sclims: climbs
screiver: writer

scronach: outcry
scunner: annoy
seamaas: seagulls
seelie/ unsellie coort: good and
bad fairies
seer: sure
segs: yellow iris
shafe: sheaf
sharn: cowdung
sheen: shoes
siccar: sure
skaiths: injuries
skinklin: glittering
sklaikin: smearing
slorach: mess
smeddum: mettle
smoorichan: smothering
sotter: mess
payver: trouser fly
spurgie: house sparrow, small
 bird
squallachy: stormy
stammygastered: flabbergasted
takkin tent: taking notice
tattiebogle: scarecrow
thrang: busy
trood: believed
tyauve: hard work
virr: vigour
vrocht: worked
vrutten: written
wattergaw: rainbow
whaups: curlews
widdendreme: nightmare
worsit: woollen
wraxin: stretching
wummles: tumbles
yalla-yaldie: yellowhammer
yird: earth
yirdit: buried

ALSO AVAILABLE FROM RYMOUR BOOKS

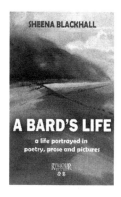 

Sheena Blackhall, *A Bard's Life*: £9.99
Mary Symon, *Collected Poems*: £9.99

https://www.rymour.co.uk